macarons
& tout petits gâteaux

macarons
& tout petits gâteaux

marabout

ISBN : 978-2-501-08504-5
Dépôt légal : janvier 2013
43.1838.2/01
Imprimé en Espagne par Impresia-Cayfosa

sommaire

introduction

les macarons

Avant de s'unir deux à deux en couleurs infinies, ils étaient de simples petits gâteaux. Leur histoire est voyageuse et tumultueuse. Probablement arrivés de Syrie en Europe, au Moyen Âge, et d'Italie en France, à la Renaissance, ces petits gâteaux précieux, à base d'amandes, de sucre et de blancs d'œufs, croquants à l'extérieur et moelleux à cœur, devinrent la spécialité de nombreuses villes et bâtirent la renommée de quelques pâtissiers. Amusez-vous à les réinventer au gré de vos envies… Suivez ces quelques conseils et ne vous découragez pas au premier essai !

le matériel

Le four Il faut toujours préchauffer le four. Surveillez vos premières cuissons. N'hésitez pas à adapter la température de quelques degrés ou à faire varier les temps de cuisson de quelques minutes.

Le four à chaleur tournante (ou pulsée) permet des cuissons plus sèches et régulières. Vous pourrez y faire cuire plusieurs plaques en même temps.

Si vous utilisez un **four traditionnel**, entrebâillez la porte à l'aide du manche d'une cuillère en bois pendant la cuisson afin que l'humidité s'échappe. Vous devrez faire plusieurs tournées, plaque après plaque.

Les plaques à pâtisserie Choisissez-les épaisses, laissez une plaque dans le four au préchauffage puis posez dessus celle où vous aurez poché les macarons. Avant de pocher les macarons, couvrez les plaques de papier sulfurisé ou siliconé. Retournez-les à mi-cuisson.

La balance Électronique de préférence, très précise, elle est indispensable en pâtisserie où les proportions demandent de l'exactitude et de la rigueur, sous peine de ne pas obtenir le résultat escompté !

Le mixeur et le tamis fin Indispensables pour affiner le mélange poudre d'amande-sucre glace. Là réside l'un des secrets des jolies coques lisses et brillantes.

Le thermomètre de confiseur ou la sonde électronique sert à mesurer la température du sirop pour les recettes à la meringue italienne. Si vous n'avez pas de thermomètre, préparez vos macarons selon la méthode de la meringue française (voir page 10).

Le batteur ou le fouet électrique Pour monter les blancs d'œufs en neige ferme.

La maryse et la corne La maryse, spatule souple en silicone, est indispensable pour le macaronage. La corne, l'outil du pâtissier, permet un geste plus souple et coulant qui vaut largement le faible investissement.

La poche à douille Pour pocher de beaux macarons ronds et réguliers et pour les garnir. En nylon plastifié ou jetable, elle sera équipée d'une douille lisse de 8 à 10 mm pour des petits macarons. Posez-la dans un récipient haut et étroit en rabattant largement les bords à l'extérieur pour la remplir facilement jusqu'à la moitié de sa contenance. Pressez la pâte vers la douille et tordez la poche au-dessus de la pâte.

Pour le pochage, tenez la poche d'une main et la douille de l'autre, bien perpendiculaire à la plaque, pressez délicatement pour libérer la noix de pâte nécessaire. Soulevez la douille et la poche d'un petit geste vif pour couper net le débit de pâte.

les ingrédients

La poudre d'amande se trouve au rayon pâtisserie des supermarchés. Elle doit être finement mixée et tamisée. Torréfiez-la 10 minutes au four à 150 °C pour en exhaler les arômes.

Le sucre glace doit être mixé et tamisé en même temps que la poudre d'amande.

Les blancs d'œufs 1 blanc d'œuf de calibre moyen pèse environ 30 g. Séparez les blancs des jaunes 24 heures à l'avance. Réservez les blancs au réfrigérateur dans une petite boîte hermétique. Sortez-les à l'avance pour qu'ils reprennent la température ambiante. Vous pouvez aussi utiliser des blancs d'œufs surgelés.

Servez-vous des jaunes pour préparer les crèmes pâtissières pour la garniture, mais aussi des crèmes anglaises, des sabayons ou des tiramisus.

Les colorants Ajoutez-les à la pâte d'amande ou à la meringue en fin de montage des blancs. Les colorants liquides, peu stables à la cuisson, pourront être utilisés seulement pour les teintes pâles. Pour les teintes soutenues, préférez les colorants en pâte ou en poudre.

les bons gestes pas à pas

Les macarons parisiens sont à préparer la veille ou l'avant-veille de leur dégustation : ne prenez pas la chose à la légère, consacrez-leur du temps et de l'attention. Ils détestent

l'humidité, réservez-leur tout l'espace de votre cuisine, ne cuisinez pas en même temps.

le tant pour tant

Mélange de poudre d'amande et de sucre glace. Mixez-les finement ensemble puis tamisez pour éliminer les impuretés résiduelles. C'est une étape primordiale.

la pâte d'amande

Pour la recette à la meringue italienne, mélangez la moitié des blancs d'œufs non battus au mélange à la poudre d'amande puis ajoutez le colorant.

le sirop

Pour la réalisation de la meringue italienne, faites cuire le sucre en poudre mélangé au tiers de son poids d'eau environ jusqu'à 110 °C/115 °C maximum. Si vous n'avez pas de thermomètre, plongez très rapidement une très petite quantité de sirop dans de l'eau froide puis roulez-le entre les doigts : la boule de sirop doit former un petit fil lorsque vous les écartez.

la meringue

Pour la fabrication des macarons parisiens, nous utilisons ici 2 méthodes.

Meringue française Montez les blancs d'œufs en neige pas trop ferme en augmentant progressivement la vitesse puis incorporez le colorant et le sucre en poudre, par petites quantités, jusqu'à ce que la meringue devienne ferme, lisse et brillante (voir macarons chocolat-café page 64, ou macarons au citron page 76). Ensuite, mélangez la meringue au tant pour tant.

Meringue italienne Montez les blancs d'œufs en neige puis incorporez le sirop bouillant en mince filet, en fouettant à vitesse légèrement réduite jusqu'à ce que la meringue soit ferme, lisse, brillante et refroidie (voir macarons parisiens aux amandes page 22).

le macaronage

Mélangez 1/3 de la meringue à la pâte d'amande pour la détendre. Utilisez une spatule souple en silicone dans un geste régulier : du fond du récipient vers le haut et des bords vers le centre en le tournant de 1/4 de tour à chaque fois. Puis incorporez le reste de la meringue et continuez l'opération à l'aide d'une corne de préférence, pour un geste plus souple, jusqu'à ce que la préparation forme un ruban lisse et brillant.

le pochage

Tapissez les plaques à pâtisserie de papier sulfurisé ou siliconé et disposez-y des petites noix de pâte de 3 cm de diamètre en quinconce, bien espacées, à l'aide d'une poche à douille lisse de 8 à 10 mm. Tapotez légèrement le dessous des plaques pour uniformiser les coques.

le croûtage

Avant d'enfourner, laissez sécher les macarons 30 minutes à 1 heure à température ambiante. Enfournez lorsque vous pouvez effleurer la surface des macarons sans que la pâte colle au doigt.

à la sortie du four

Les coques doivent être brillantes, lisses et avoir une belle collerette. Faites glisser les feuilles de papier sulfurisé sur le plan de travail froid ou légèrement humidifié, laissez refroidir quelques minutes puis décollez les macarons. S'ils ne se décollent pas facilement, ils ne sont pas assez cuits ; remettez-les au four 1 ou 2 minutes.

les garnitures

Garnissez la moitié des coques à la poche à douille ou à l'aide d'une petite cuillère puis assemblez-les deux par deux.

Les ganaches sont faciles à préparer : aux chocolats, noir, au lait ou blanc, pralinoise, parfumées de fruits, de coulis ou d'arômes… Il est recommandé de les préparer la veille.

Les crèmes au beurre, crèmes pâtissières ou mousselines aromatisées, crèmes au mascarpone…

Pour la chantilly, gardez les macarons non garnis dans une boîte hermétique au réfrigérateur et garnissez-les au dernier moment.

Pour les macarons aux fruits, optez pour les marmelades, les confitures ou les gelées.

la décoration

Avant la cuisson, saupoudrez les macarons de brisures de fruits à coque ou de fleurs cristallisées, de miettes de biscuits ou de pain d'épices, de pralin ou de sucres colorés. Brumisez-les de colorant liquide à l'aide d'une brosse à dents.

Après la cuisson, décorez-les de filaments de chocolat, de caramel ou de glaçage à l'aide d'un stylo à décoration ou d'une minidouille. Saupoudrez-les de cacao ou de sucre glace, de poudres alimentaires irisées, d'or ou d'argent à l'aide d'un pinceau très doux.

la conservation

Rangez les macarons sur la tranche, côte à côte, dans une boîte hermétique. Gardez-les 1 nuit au moins au réfrigérateur (sauf s'ils contiennent des garnitures trop humides ou fragiles : gelée, chantilly, foie gras…) Sortez-les du réfrigérateur 30 minutes avant de les déguster. Leur conservation ne devra pas excéder 3 jours. Vous pouvez aussi les congeler.

Et si vos macarons sont ratés, utilisez-les pour réaliser des desserts gourmands : trifles, crèmes, verrines, tiramisus, charlottes, crumbles…

les mignardises

On n'en fait qu'une bouchée de ces petites douceurs sucrées prises à deux doigts, avec un petit air de ne pas y toucher. Elles accompagnent si bien le café de la mi-journée ou le thé de l'après-midi, clôturent en douceur l'apéro dînatoire ou le buffet des jours de fête. Alors, minaudons tout en mignardises : cupcakes ou muffins, financiers, cakes ou madeleines, tartelettes, savarins et babas, cannelés, meringues, petits-fours, carrés gourmands, bouchées et autres réductions… Tout en miniature !

le matériel

Il sera le même que pour la pâtisserie traditionnelle :
- une balance précise ;
- un mixeur ;
- un batteur ou un fouet électrique ;
- un fouet à main pour les amalgames qui ne devront pas être trop travaillés ;

- une spatule souple ou une maryse ;
- 2 spatules en métal : une grande pour lisser les surfaces et une petite pour étaler les glaçages ;
- un pinceau pour beurrer les moules ou les empreintes et pour dorer les pâtes à l'œuf ;
- des bols pour préparer les ingrédients, des culs-de-poule en métal inoxydable dont le fond parfaitement arrondi facilite les mélanges ou, à défaut, des saladiers ;
- une casserole stable pour les bains-marie ;
- une poche à douille, indispensable pour remplir les minimoules, calibrer les bouchées, décorer les cupcakes, fourrer les mignardises…
- un four, 1 ou 2 grilles, une plaque à pâtisserie et du papier sulfurisé ;
- un thermomètre à sucre pour tempérer les chocolats ou préparer les caramels ;
- des gants fins en latex pour malaxer les pâtes et les manipuler.

les moules à mignardises

Métalliques à l'origine, issus des officines de nos maîtres pâtissiers, ils se démocratisent depuis l'apparition du silicone : de toutes tailles, ils épousent toutes les formes (madeleines, minicakes, tartelettes, bouchons, navettes, petits carrés ou petits cœurs…) et répondent à toutes les envies.

Les moules en métal Beurrez-les et farinez-les avant d'y couler la pâte.

Les moules en silicone vous dispensent de cette première étape et facilitent indéniablement le démoulage. Posez-les sur la grille du four avant de les garnir. Sauf avis contraire, démoulez les petits gâteaux quelques minutes après la sortie du four et laissez-les refroidir sur une grille.

Les caissettes en papier Il en existe de toutes tailles et de toutes les couleurs. Elles facilitent la cuisson des cupcakes, des petits gâteaux ou des minicakes en évitant le démoulage et en enjolivant la présentation. Pour la cuisson, mettez-les dans des moules de même taille ou doublez-les pour leur donner plus de solidité.

un peu d'organisation

Organisez votre cuisine et votre travail. Lisez la recette en entier avant de commencer. Tous les ingrédients et le matériel doivent être à portée de main, réunis sur le plan de travail parfaitement propre.

- Pensez à sortir le beurre à l'avance s'il doit être ramolli ou à température ambiante.
- Les œufs et le lait seront sortis du réfrigérateur 30 minutes avant de commencer pour être à température ambiante.
- Les farines, le sucre et autres poudres seront pesés dans des bols.
- Gardez la crème fraîche et les pâtes au réfrigérateur jusqu'au moment de les utiliser.
- Préchauffez le four 10 minutes à l'avance et préparez les moules (voir page 12).

la cuisson

De la cuisson dépend souvent la réussite ; il ne s'agit pas uniquement de la température du four, mais aussi d'une subtile alchimie qui fait réagir la pâte à la chaleur.

Les cuissons peuvent varier en fonction du four et de son volume. En règle générale, ne l'ouvrez surtout pas en début de cuisson mais seulement lorsque celle-ci vous semble achevée. Respectez la position de la grille ou de la plaque dans le four lorsqu'elle est précisée.

Les indications de cuisson sont données pour un four à chaleur pulsée (sauf indication contraire). Si vous êtes équipé d'un four traditionnel (chauffant par le haut et par le bas), positionnez la plaque ou la grille en partie basse du four et réglez la température à 10 °C de plus ou prolongez la cuisson de 5 minutes. Le temps de cuisson dépend de la taille des moules. Vérifiez la cuisson en plantant une petite brochette en bois au cœur du gâteau : elle doit ressortir sèche… sauf pour les moelleux, bien entendu.

Et avant de partager du bonheur en bouche, amusez-vous !

macarons traditionnels

macarons de Saint-Émilion

Pour **30 macarons**
Préparation **25 minutes**
Cuisson **15 minutes**

175 g de **poudre d'amande**
75 g de **sucre semoule**
10 g de **miel**
2 **blancs d'œufs**
4 cl de **vin blanc liquoreux**
  (style sauternes)
75 g de **sucre glace**

Mélangez la poudre d'amande, le sucre semoule, le miel, 1 blanc d'œuf et le vin blanc dans une casserole. Faites chauffer à feu très doux, en remuant, pendant 5 minutes. Retirez du feu, versez la pâte dans un saladier et continuez à remuer vivement pendant 2 minutes avant de laisser refroidir complètement.

Montez le blanc d'œuf restant en neige ferme en incorporant progressivement 45 g de sucre glace à mi-parcours. Incorporez la meringue obtenue au mélange précédent.

Préchauffez le four à 170 °C.

Tapissez des plaques à pâtisserie de papier sulfurisé. À l'aide d'une poche à douille lisse ou de 2 cuillères à café, disposez-y des petites noix de pâte en quinconce, bien espacées les unes des autres. Avec une passoire fine, saupoudrez les macarons avec le reste de sucre glace. Enfournez pour 15 minutes.

macarons de Nancy

Pour **30 macarons**
Préparation **20 minutes**
Cuisson **15 à 20 minutes**

100 g de **poudre d'amande**
100 g de **sucre glace**
1 sachet de **sucre vanillé**
2 **blancs d'œufs**
3 gouttes d'**extrait naturel de vanille**
1 c. à s. de **sucre glace**

Mélangez la poudre d'amande, le sucre glace tamisé et le sucre vanillé. Montez les blancs d'œufs en neige souple puis incorporez-les délicatement au mélange précédent ainsi que l'extrait de vanille.

Préchauffez le four à 240 °C.

Tapissez des plaques à pâtisserie de papier sulfurisé et, à l'aide d'une poche à douille lisse ou de 2 cuillères à café, disposez-y des petites noix de pâte de 4 cm de diamètre en quinconce et bien espacées les unes des autres.

Humidifiez légèrement la surface de chaque macaron à l'aide d'un pinceau puis saupoudrez-les de sucre glace.

Glissez les plaques dans le four, fermez la porte puis baissez la température à 150 °C. Laissez cuire 15 à 20 minutes.

À la sortie du four, faites glisser les feuilles de papier sulfurisé sur une grille et laissez les macarons refroidir avant de les décoller délicatement.

macarons de Saint-Jean-de-Luz

Pour **30 macarons**
Préparation **20 minutes**
Cuisson **15 minutes**

250 g de **poudre d'amande**
400 g de **sucre en poudre**
5 **blancs d'œufs**

Mélangez intimement la poudre d'amande et le sucre avec 3 blancs d'œufs. Montez les 2 autres blancs d'œufs en neige puis incorporez-les à la préparation.

Préchauffez le four à 180 °C.

Tapissez des plaques à pâtisserie de papier sulfurisé. Disposez-y des petites noix de pâte bien espacées les unes des autres, aplatissez-les légèrement avec le dos d'une cuillère et faites-les cuire 15 minutes.

À la sortie du four, faites glisser les feuilles de papier sulfurisé sur une grille et laissez les macarons refroidir avant de les décoller délicatement.

Variante Pour des macarons au chocolat, ajoutez 2 cuillerées à soupe de cacao en poudre.

Note Ces macarons sont également appelés muxuk (prononcer « mouchous ») ce qui signifie « bisous » en basque.

macarons parisiens aux amandes

Pour **40 macarons**
Préparation **50 minutes**
Croûtage **30 minutes**
Cuisson **12 à 14 minutes**

150 g de **poudre d'amande**
150 g de **sucre glace**
4 **blancs d'œufs**
½ **gousse de vanille** fendue
6 cl d'**eau**
150 g de **sucre semoule**

**Pour la crème au beurre
aux amandes :**
250 g de **beurre** ramolli
140 g de **sucre glace**
160 g de **poudre d'amande**

Mixez et tamisez la poudre d'amande mélangée au sucre glace. Incorporez 2 blancs d'œufs et les graines de vanille extraits de la demi-gousse. Mélangez jusqu'à l'obtention d'une pâte homogène.

Dans une casserole, portez l'eau et le sucre semoule à ébullition et faites chauffer jusqu'à 115 °C. Montez les 2 blancs restants en neige puis versez doucement le sirop bouillant, en battant, jusqu'à ce que la meringue soit complètement refroidie.

Mélangez ⅓ de la meringue à la pâte d'amande avec une spatule souple puis incorporez le reste de la meringue et macaronez la préparation avec une corne jusqu'à ce qu'elle forme un ruban lisse et brillant.

Pochez des petites noix de pâte de 3 cm de diamètre à la poche à douille lisse de 8 mm sur les plaques à pâtisserie. Laissez sécher 30 minutes.

Préchauffez le four à 150 °C et enfournez pour 12 à 14 minutes.

Préparez la crème au beurre : battez le beurre au fouet ou au batteur électrique en pommade lisse. Incorporez le sucre glace en continuant de battre, puis ajoutez la poudre d'amande. Le mélange doit être aéré et mousseux.

À la sortie du four, garnissez de crème au beurre la moitié des macarons puis assemblez-les avec les coques restantes. Réservez au réfrigérateur 12 à 24 heures.

amarettis moelleux au sucre glace

Pour **20 amarettis**
Préparation **20 minutes**
Cuisson **7 à 10 minutes**

2 **blancs d'œufs**
½ c. à c. de **jus de citron**
150 g de **sucre en poudre**
200 g de **poudre d'amande**
2 gouttes d'**extrait
d'amande amère**
3 c. à s. de **sucre glace**

Montez les blancs d'œufs en neige ferme avec le jus de citron. À mi-parcours, ajoutez progressivement le sucre en poudre, en pluie, et continuez de battre 5 minutes environ jusqu'à l'obtention d'une meringue bien lisse et brillante. Incorporez ensuite la poudre d'amande et l'extrait d'amande amère en soulevant la préparation à l'aide d'une spatule souple.

Préchauffez le four à 180 °C. Tapissez une plaque à pâtisserie de papier sulfurisé et disposez-y de belles noix de pâte, bien espacées les unes des autres, à l'aide d'une poche à douille lisse de 1 cm de diamètre ou d'une cuillère à soupe. Saupoudrez légèrement de sucre glace à l'aide d'une petite passoire fine.

Enfournez à mi-hauteur et faites cuire 7 à 10 minutes jusqu'à ce que les amarettis prennent une couleur très légèrement ambrée. Ils doivent rester moelleux à cœur.

Saupoudrez les amarettis une nouvelle fois de sucre glace dès la sortie du four. Faites glisser les feuilles de papier sulfurisé sur une grille et laissez les petits gâteaux refroidir avant de les décoller délicatement.

Note Les amarettis, moelleux à l'intérieur, se bonifient avec le temps : ils durcissent, et c'est ainsi qu'ils sont le plus appréciés par les Italiens, dégustés, trempés dans une liqueur, du vin doux ou du vin rouge. Ils remplacent avantageusement les biscuits à la cuillère dans les tiramisus ou les trifles.

macarons nature

Pour **50 macarons**
Préparation **30 minutes**
Croûtage **40 minutes**
Cuisson **12 minutes**

115 g de **poudre d'amande**
200 g de **sucre glace**
3 **blancs d'œufs**
25 g de **sucre en poudre**

Mixez puis tamisez soigneusement la poudre d'amande mélangée au sucre glace.

Montez les blancs d'œufs en neige au batteur électrique. À mi-parcours, ajoutez le sucre en poudre, en pluie, et continuez de battre 7 minutes environ. Incorporez ensuite le mélange à la poudre d'amande à l'aide d'une spatule souple ou d'une corne et macaronez la préparation jusqu'à ce qu'elle forme un ruban lisse et brillant.

Tapissez des plaques à pâtisserie de papier sulfurisé et, à l'aide d'une poche à douille lisse, disposez-y de belles noix de pâte en quinconce et bien espacées les unes des autres.

Préchauffez le four à 175 °C et enfournez pour 12 minutes, en baissant la température du four à 150 °C pendant les 5 dernières minutes.

À la sortie du four, faites glisser les feuilles de papier sulfurisé sur le plan de travail et laissez refroidir avant de décoller les macarons et de les poser sur une grille. Gardez-les dans une boîte hermétique.

Variante Ajoutez 2 sachets de sucre vanillé à la préparation de la meringue.

macarons au chocolat

Pour **40 macarons**
Préparation **50 minutes**
Croûtage **30 minutes**
Cuisson **12 à 14 minutes**

135 g de **poudre d'amande**
150 g de **sucre glace**
23 g de **cacao amer**
  en poudre
4 **blancs d'œufs**
colorant marron
6 cl d'**eau**
150 g de **sucre semoule**

Pour la ganache :
20 cl de **crème liquide**
1 sachet de **sucre vanillé**
250 g de **chocolat noir**
  à pâtisser haché
½ c. à c. d'**extrait de café**
  (facultatif)
50 g de **beurre** coupé
  en petits morceaux

Préparez la ganache : chauffez la crème liquide et le sucre vanillé, puis versez-la sur le chocolat en remuant. Incorporez l'extrait de café et le beurre jusqu'à l'obtention d'une ganache lisse. Placez au réfrigérateur.

Mixez puis tamisez la poudre d'amande mélangée au sucre glace et au cacao. Incorporez 2 blancs d'œufs et du colorant jusqu'à l'obtention d'une pâte homogène.

Dans une casserole, portez l'eau et le sucre semoule à ébullition puis faites chauffer jusqu'à l'obtention d'un sirop à 115 °C. Montez les 2 blancs restants en neige puis versez doucement le sirop bouillant, en battant, jusqu'à ce que la meringue soit complètement refroidie.

Mélangez ⅓ de la meringue à la pâte d'amande au chocolat avec une spatule puis incorporez le reste de la meringue et macaronez la préparation avec une corne jusqu'à ce qu'elle forme un ruban lisse et brillant.

Pochez des petites noix de pâte de 3 cm de diamètre à la poche à douille lisse de 8 mm sur les plaques à pâtisserie. Laissez sécher 30 minutes.

Préchauffez le four à 150 °C et enfournez pour 12 à 14 minutes.

À la sortie du four, garnissez de ganache la moitié des macarons refroidis puis assemblez-les avec les coques restantes. Réservez au réfrigérateur 12 à 24 heures.

macarons tout café

Pour 40 macarons
Préparation **50 minutes**
Croûtage **30 minutes**
Cuisson **12 à 14 minutes**

150 g de **poudre d'amande**
150 g de **sucre glace**
4 **blancs d'œufs**
½ c. à c. d'**extrait de café**
6 cl d'**eau**
150 g de **sucre semoule**

Pour la crème au café :
20 g de **café soluble**
1 c. à s. d'**eau chaude**
250 g de **beurre** ramolli
140 g de **sucre glace**
160 g de **poudre d'amande**

Mixez et tamisez la poudre d'amande mélangée au sucre glace. Incorporez 2 blancs d'œufs et l'extrait de café jusqu'à l'obtention d'une pâte homogène.

Dans une casserole, portez l'eau et le sucre semoule à ébullition et faites chauffer jusqu'à 115 °C. Montez les 2 blancs restants en neige puis versez doucement le sirop bouillant en continuant de battre jusqu'à ce que la meringue soit complètement refroidie.

Mélangez ⅓ de la meringue à la pâte d'amande avec une spatule. Puis incorporez le reste de la meringue et macaronez la préparation avec une corne jusqu'à ce qu'elle forme un ruban lisse et brillant.

Pochez des petites noix de pâte de 3 cm de diamètre à la poche à douille lisse de 8 mm sur les plaques à pâtisserie. Laissez sécher 30 minutes. Préchauffez le four à 150 °C et enfournez pour 12 à 14 minutes.

Préparez la crème au café : diluez le café soluble dans l'eau chaude puis laissez refroidir. Battez le beurre au fouet ou au batteur électrique en pommade lisse. Incorporez le café et le sucre glace en continuant de battre. Ajoutez la poudre d'amande en fouettant de nouveau quelques minutes.

À la sortie du four, garnissez de crème au café la moitié des macarons refroidis puis assemblez-les avec les coques restantes. Réservez au réfrigérateur 12 à 24 heures.

macarons à la framboise

Pour **40 macarons**
Préparation **55 minutes**
Réfrigération **1 heure**
Croûtage **30 minutes**
Cuisson **12 à 14 minutes**

150 g de **poudre d'amande**
150 g de **sucre glace**
4 **blancs d'œufs**
colorant rose
6 cl d'**eau**
150 g de **sucre semoule**

**Pour la marmelade
à la framboise :**
300 g de **framboises**
   fraîches ou surgelées
50 g de **sucre en poudre**
le **jus** de ½ **citron**
1 c. à c. de **pectine**
   (style Vitpris)

Pour la marmelade à la framboise, faites compoter les framboises à feu doux avec le sucre, le jus de citron et la pectine 15 minutes, en remuant. Retirez du feu et laissez refroidir. Placez au réfrigérateur pour 1 heure.

Mixez puis tamisez la poudre d'amande mélangée au sucre glace. Incorporez 2 blancs d'œufs et du colorant.

Dans une casserole, portez l'eau et le sucre semoule à ébullition et faites chauffer jusqu'à 115 °C. Montez les 2 blancs restants en neige puis versez doucement le sirop bouillant, en battant, jusqu'à ce que la meringue soit complètement refroidie.

Mélangez ⅓ de meringue à la pâte d'amande avec une spatule souple, puis incorporez le reste de la meringue et macaronez la préparation avec une corne.

Pochez des petites noix de pâte de 3 cm de diamètre à la poche à douille lisse de 8 mm sur les plaques à pâtisserie. Laissez sécher 30 minutes. Préchauffez le four à 150 °C et enfournez pour 12 à 14 minutes.

À la sortie du four, garnissez la moitié des macarons de marmelade de framboises, à l'aide d'une poche à douille, puis assemblez-les avec les coques restantes. Emballez dans du film alimentaire et réservez au réfrigérateur 1 à 2 heures.

Pour une version plus rapide, remplacez la marmelade maison par de la confiture de framboises.

macarons à la vanille

Pour **40 macarons**
Préparation **50 minutes**
Réfrigération **1 h 30**
   au moins
Croûtage **30 minutes**
Cuisson **12 à 14 minutes**

150 g de **poudre d'amande**
150 g de **sucre glace**
4 **blancs d'œufs**
½ **gousse de vanille** fendue
6 cl d'**eau**
150 g de **sucre semoule**

Pour la crème à la vanille :
50 cl de **lait**
½ gousse de **vanille** fendue
6 **jaunes d'œufs**
125 g de **sucre**
20 g de **farine**
30 g de **Maïzena**
100 g de **beurre doux**
   coupé en petits morceaux

Pour la crème à la vanille, faites chauffer à feu doux le lait avec la demi-gousse de vanille. Battez les jaunes d'œufs et le sucre au fouet puis incorporez la farine et la Maïzena. Jetez la gousse et versez le lait chaud sur le mélange puis reversez le tout dans la casserole et faites épaissir
à feu doux 3 à 4 minutes, en remuant. Hors du feu, incorporez le beurre puis placez au réfrigérateur 1 h 30.

Mixez et tamisez la poudre d'amande mélangée au sucre glace. Incorporez 2 blancs d'œufs et les graines de la demi-gousse de vanille.

Dans une casserole, portez l'eau et le sucre à ébullition et faites chauffer jusqu'à l'obtention d'un sirop à 115 °C. Montez les 2 blancs restants en neige puis versez le sirop bouillant en continuant de battre jusqu'à ce que la meringue soit refroidie.

Mélangez ⅓ de la meringue à la pâte d'amande avec une spatule puis incorporez le reste de la meringue et macaronez la préparation à la corne.

Pochez des petites noix de pâte de 3 cm de diamètre à la poche à douille lisse de 8 mm sur les plaques à pâtisserie. Laissez sécher 30 minutes. Préchauffez le four à 150 °C et enfournez pour 12 à 14 minutes.

À la sortie du four, garnissez de crème à la vanille la moitié des macarons refroidis puis assemblez-les avec les coques restantes. Emballez dans du film alimentaire et réservez au réfrigérateur.

macarons amande-vanille-caramel

Pour **40 macarons**
Préparation **50 minutes**
Croûtage **30 minutes**
Cuisson **12 à 14 minutes**

150 g de **poudre d'amande**
150 g de **sucre glace**
4 **blancs d'œufs**
½ **gousse de vanille** fendue
6 cl d'**eau**
150 g de **sucre semoule**

**Pour la crème au beurre
à la vanille :**
½ **gousse de vanille** fendue
250 g de **beurre** ramolli
140 g de **sucre glace**
160 g de **poudre d'amande**

Pour la décoration :
200 g de **caramel**
(voir page 38)

Mixez et tamisez la poudre d'amande mélangée au sucre glace. Incorporez 2 blancs d'œufs et les graines de vanille, et mélangez.

Dans une casserole, portez l'eau et le sucre à ébullition et faites chauffer jusqu'à 115 °C. Montez les 2 blancs restants en neige puis versez le sirop bouillant, en battant, jusqu'à ce que la meringue soit complètement refroidie.

Mélangez ⅓ de la meringue à la pâte d'amande avec une spatule puis incorporez le reste de la meringue et macaronez la préparation avec une corne.

Pochez des petites noix de pâte de 3 cm de diamètre à la poche à douille lisse de 8 mm sur les plaques à pâtisserie. Laissez sécher 30 minutes.

Préchauffez le four à 150 °C et enfournez pour 12 à 14 minutes.

Préparez la crème au beurre : grattez les graines de la demi-gousse de vanille avec un couteau. Battez le beurre en pommade lisse puis incorporez les graines de vanille et le sucre glace en continuant de battre. Incorporez la poudre d'amande.

À la sortie du four, garnissez la moitié des macarons refroidis de crème au beurre puis assemblez-les avec les coques restantes. Décorez les macarons avec un mince filet de caramel appliqué en va-et-vient à l'aide d'une poche à minidouille. Réfrigérez 12 à 24 heures.

macarons au caramel au beurre salé

Pour **40 macarons**
Préparation **50 minutes**
Réfrigération **1 h 30**
 au moins
Croûtage **30 minutes**
Cuisson **12 à 14 minutes**

150 g de **poudre d'amande**
150 g de **sucre glace**
4 **blancs d'œufs**
5 gouttes d'**extrait de café**
colorant marron
6 cl d'**eau**
150 g de **sucre semoule**

Pour le caramel
 au beurre salé :
250 g de **sucre en poudre**
12 cl de **crème liquide**
200 g de **beurre salé** coupé
 en petits morceaux

Préparez le caramel au beurre salé : faites cuire le sucre humecté d'un peu d'eau et laissez caraméliser sans y toucher jusqu'à l'obtention d'une belle couleur ambrée. Ajoutez la crème liquide (attention aux éclaboussures !) et mélangez. Retirez du feu et incorporez le beurre. Placez au réfrigérateur pendant 1 h 30 au moins pour que le caramel épaississe.

Mixez et tamisez la poudre d'amande mélangée au sucre glace. Incorporez 2 blancs d'œufs, l'extrait de café et une pointe de colorant marron.

Dans une casserole, préparez un sirop à 115 °C avec l'eau et le sucre semoule. Montez les 2 blancs restants en neige puis versez doucement le sirop bouillant en continuant de battre jusqu'à ce que la meringue soit complètement refroidie.

Mélangez 1/3 de la meringue à la pâte d'amande avec une spatule puis incorporez le reste et macaronez la préparation avec une corne.

Pochez des petites noix de pâte de 3 cm de diamètre à la poche à douille lisse de 8 mm sur les plaques à pâtisserie. Laissez sécher 30 minutes à température ambiante. Préchauffez le four à 150 °C et enfournez pour 12 à 14 minutes.

À la sortie du four, garnissez la moitié des macarons de caramel bien froid puis assemblez-les avec les coques restantes. Réservez-les au réfrigérateur 12 à 24 heures.

macarons pralinés & à la pistache

Pour **40 macarons pralinés**
Préparation **50 minutes**
Croûtage **30 minutes**
Cuisson **12 à 14 minutes**

**Pour les macarons
  pralinés :**
75 g de **poudre de noisette**
75 g de **poudre d'amande**
150 g de **sucre glace**
4 **blancs d'œufs**
6 cl d'**eau**
150 g de **sucre semoule**

Pour la ganache pralinée :
300 g de **pralinoise**
4 c. à s. de **crème liquide**

Pour la ganache pralinée, faites fondre la pralinoise
au bain-marie. Incorporez la crème. Placez au frais.

Tamisez la poudre de noisette, la poudre d'amande
et le sucre glace mélangés. Incorporez 2 blancs d'œufs.

Dans une casserole, préparez un sirop à 115 °C avec
l'eau et le sucre semoule. Montez les 2 blancs restants
en neige puis versez le sirop bouillant, en battant,
jusqu'à ce que la meringue soit complètement refroidie.

Mélangez 1/3 de la meringue à la pâte d'amande
et de noisette avec une spatule, puis macaronez
la préparation à la corne avec le reste de la meringue.

Pochez des petites noix de pâte de 3 cm de diamètre
à la poche à douille lisse de 8 mm. Laissez sécher
30 minutes à température ambiante. Préchauffez
le four à 150 °C et enfournez pour 12 à 14 minutes.

À la sortie du four, garnissez la moitié des macarons
avec de la ganache pralinée puis assemblez-les avec
les coques restantes. Réfrigérez 12 à 24 heures.

Pour les macarons à la pistache, suivez la recette
macarons pistache-vanille (page 42) en remplaçant
la chantilly de mascarpone par une ganache chocolat
blanc-pistache : broyez très finement 50 g de pistaches
avec 1/2 cuillerée à soupe de sirop d'orgeat et 3 gouttes
de colorant vert. Versez 20 cl de crème liquide chaude
sur 250 g de chocolat blanc à pâtisser haché, mélangez
puis incorporez la pâte de pistache et placez au frais.

macarons pistache-vanille

Pour **40 macarons**
Préparation **50 minutes**
Croûtage **30 minutes**
Cuisson **12 à 14 minutes**

90 g de **pistaches vertes**
  décortiquées, non salées
60 g de **poudre d'amande**
150 g de **sucre glace**
4 **blancs d'œufs**
colorants vert et **jaune**
6 cl d'**eau**
150 g de **sucre semoule**

Pour la **chantilly de**
  mascarpone à la vanille :
½ **gousse de vanille**
250 g de **mascarpone**
60 g de **sucre glace**
25 cl de **crème fleurette**
  entière très froide

Mixez puis tamisez les pistaches, la poudre d'amande et le sucre glace. Incorporez 2 blancs d'œufs et les deux colorants.

Dans une casserole, portez l'eau et le sucre semoule à ébullition et faites chauffer jusqu'à 115 °C. Montez les 2 blancs restants en neige puis versez doucement le sirop bouillant en continuant de battre jusqu'à ce que la meringue soit complètement refroidie.

Mélangez ⅓ de la meringue à la pâte pistache-amande puis incorporez le reste de la meringue et macaronez la préparation avec une spatule.

Pochez des petites noix de pâte de 3 cm de diamètre à la poche à douille lisse de 8 mm sur les plaques à pâtisserie. Laissez sécher 30 minutes.

Préchauffez le four à 150 °C et enfournez pour 12 à 14 minutes.

Préparez la chantilly au mascarpone : grattez les graines de la demi-gousse de vanille. Mélangez-les avec le mascarpone et le sucre glace. Fouettez la crème fleurette au batteur. À mi-parcours, incorporez le mélange au mascarpone. Fouettez jusqu'à l'obtention d'une chantilly épaisse. Réservez au frais.

À la sortie du four, garnissez de chantilly la moitié des macarons refroidis puis assemblez-les avec les coques restantes. Emballez les macarons dans du film alimentaire et réservez-les au réfrigérateur jusqu'à la dégustation.

macarons
choco

macarons au chocolat au lait

Pour **40 macarons**
chocolat au lait
Préparation **50 minutes**
Réfrigération **1 heure**
au moins
Croûtage **30 minutes**
Cuisson **12 à 14 minutes**

Pour les macarons
au chocolat au lait :
140 g de **poudre d'amande**
150 g de **sucre glace**
15 g de **cacao amer**
en poudre
4 **blancs d'œufs**
6 cl d'**eau**
150 g de **sucre semoule**

Pour la ganache
au chocolat au lait :
20 cl de **crème liquide**
300 g de **chocolat au lait**
à pâtisser haché
50 g de **beurre** coupé
en petits morceaux

Préparez la ganache : chauffez la crème liquide et versez-la sur le chocolat, en remuant. Incorporez le beurre. Placez la ganache au réfrigérateur.

Mixez puis tamisez la poudre d'amande mélangée au sucre glace et au cacao. Incorporez 2 blancs d'œufs.

Dans une casserole, portez l'eau et le sucre semoule à ébullition et faites chauffer jusqu'à 115 °C. Montez les 2 blancs restants en neige puis versez doucement le sirop bouillant, en battant, jusqu'à ce que la meringue soit complètement refroidie.

Mélangez 1/3 de la meringue à la pâte d'amande au cacao avec une spatule puis incorporez le reste de la meringue et macaronez la préparation à la corne jusqu'à ce qu'elle fasse un ruban lisse et brillant.

Pochez des petites noix de pâte de 3 cm de diamètre à la poche à douille lisse de 8 mm sur les plaques à pâtisserie. Laissez sécher 30 minutes.

Préchauffez le four à 150 °C et enfournez pour 12 à 14 minutes.

À la sortie du four, garnissez la moitié des macarons refroidis de ganache à la poche à douille puis assemblez-les avec les coques restantes. Réservez au réfrigérateur 12 à 24 heures.

Pour les macarons au chocolat noir, voir page 28.

macarons cacao

Pour **20 macarons**
Préparation **50 minutes**
Croûtage **40 minutes**
Cuisson **14 minutes**

135 g de **poudre d'amande**
150 g de **sucre glace**
25 g de **cacao amer**
   en poudre
4 **blancs d'œufs**
colorant marron
6 cl d'**eau**
150 g de **sucre semoule**
1 **fève tonka** (facultatif)

Pour la ganache :
20 cl de **crème liquide**
230 g de **chocolat noir**
   à pâtisser à 70 %
   de cacao, haché
50 g de **beurre** coupé
   en petits morceaux

Préparez la ganache : chauffez la crème liquide et versez-la sur le chocolat, en remuant. Incorporez le beurre jusqu'à l'obtention d'une ganache lisse. Laissez refroidir au réfrigérateur.

Mixez finement puis tamisez la poudre d'amande mélangée au sucre glace et au cacao. Incorporez 2 blancs d'œufs et du colorant marron.

Dans une casserole, portez l'eau et le sucre semoule à ébullition puis faites chauffer jusqu'à 115 °C. Montez les 2 blancs restants en neige puis versez doucement le sirop bouillant, en battant, jusqu'à ce que la meringue soit complètement refroidie.

Mélangez 1/3 de la meringue à la pâte d'amande au chocolat avec une spatule puis incorporez le reste de la meringue et macaronez la préparation avec une corne.

Pochez des petits tas de pâte de 6 cm de diamètre avec une douille lisse sur les plaques à pâtisserie. Parsemez chaque macaron de 1 pincée de fève tonka finement râpée. Laissez sécher 40 minutes.

Préchauffez le four à 150 °C et enfournez pour 14 minutes.

À la sortie du four, garnissez de ganache la moitié des macarons refroidis à l'aide d'une poche à douille, puis assemblez-les avec les coques restantes. Réservez au réfrigérateur 12 à 24 heures.

macarons noisette

Pour **40 macarons**
aux noisettes
Préparation **50 minutes**
Croûtage **30 minutes**
Cuisson **12 à 14 minutes**

Pour les macarons
aux noisettes :
75 g de **poudre de noisette**
75 g de **poudre d'amande**
150 g de **sucre glace**
4 **blancs d'œufs**
6 cl d'**eau**
150 g de **sucre semoule**

Pour la crème
aux noisettes :
250 g de **beurre** ramolli
140 g de **sucre glace**
50 g de **poudre d'amande**
110 g de **poudre**
de noisette

Mixez puis tamisez les poudres de noisette et d'amande mélangées au sucre glace. Incorporez 2 blancs d'œufs.

Dans une casserole, préparez un sirop à 115 °C avec le sucre semoule et l'eau. Montez les 2 blancs restants en neige puis versez le sirop bouillant, en battant, jusqu'à ce que la meringue soit complètement refroidie.

Mélangez 1/3 de la meringue à la pâte de noisette et d'amande avec une spatule puis incorporez le reste de la meringue et macaronez la préparation avec une corne.

Pochez des petites noix de pâte de 3 cm de diamètre à la poche à douille lisse de 8 mm. Laissez sécher 30 minutes à température ambiante.

Préchauffez le four à 150 °C et enfournez pour 12 à 14 minutes.

Préparez la crème aux noisettes : battez le beurre, au fouet ou au batteur électrique, en pommade lisse, puis incorporez le sucre glace, tout en continuant de battre. Ajoutez ensuite les poudres d'amande et de noisette finement mixées en fouettant afin d'obtenir un mélange bien aéré et mousseux.

Garnissez la moitié des macarons refroidis de crème aux noisettes puis assemblez-les avec les coques restantes. Réservez au réfrigérateur 12 à 24 heures.

Pour les macarons au chocolat, voir pages 28 et 48.

macarons choco-vanille-café

Pour **40 macarons**
Préparation **50 minutes**
Croûtage **30 minutes**
Cuisson **12 à 14 minutes**

150 g de **poudre d'amande**
150 g de **sucre glace**
4 **blancs d'œufs**
½ **gousse de vanille**
½ c. à c. d'**extrait de café**
6 cl d'**eau**
150 g de **sucre semoule**

Pour la ganache :
20 cl de **crème liquide**
½ c. à c. d'**extrait de café**
   (facultatif)
250 g de **chocolat noir**
   à pâtisser haché
50 g de **beurre** coupé
   en petits morceaux

Préparez la ganache : chauffez la crème liquide avec
l'extrait de café puis versez sur le chocolat, en remuant.
Incorporez le beurre jusqu'à l'obtention d'une ganache
lisse. Placez au réfrigérateur.

Mixez puis tamisez 75 g de poudre d'amande mélangée
à 75 g de sucre glace. Incorporez 1 blanc d'œuf et
l'extrait de café.

Dans une casserole, préparez un sirop à 115 °C
avec 75 g de sucre et 3 cl d'eau. Montez 1 blanc
d'œuf en neige puis versez doucement le sirop bouillant
en continuant de battre jusqu'à ce que la meringue
soit complètement refroidie.

Mélangez ⅓ de la meringue à la pâte d'amande avec
une spatule puis incorporez le reste de la meringue
et macaronez la préparation avec une corne.

Pochez des petites noix de pâte de 3 cm de diamètre
avec une douille lisse de 8 mm. Laissez sécher 30 minutes.

Préparez les macarons à la vanille selon la même
méthode, en remplaçant l'extrait de café par les graines
de vanille extraits de la demi-gousse fendue.

Préchauffez le four à 150 °C et enfournez pour
12 à 14 minutes.

À la sortie du four, garnissez de ganache les coques
au café refroidies puis assemblez les macarons avec
les coques vanille. Réfrigérez 12 à 24 heures.

macarons chocolat-gingembre

Pour **40 macarons**
Préparation **50 minutes**
Croûtage **30 minutes**
Cuisson **12 à 14 minutes**

135 g de **poudre d'amande**
150 g de **sucre glace**
23 g de **cacao amer**
  en poudre
½ c. à c. de **gingembre**
  en poudre
4 **blancs d'œufs**
colorant rouge carmin
6 cl d'**eau**
150 g de **sucre semoule**

Pour la ganache :
20 cl de **crème liquide**
250 g de **chocolat noir**
  à pâtisser haché
50 g de **beurre** coupé
  en petits morceaux
120 g de **gingembre confit**

Préparez la ganache : chauffez la crème liquide et versez-la sur le chocolat, en remuant. Incorporez le beurre jusqu'à l'obtention d'une ganache lisse. Laissez refroidir au réfrigérateur.

Mixez puis tamisez la poudre d'amande mélangée au sucre glace, au cacao et au gingembre. Incorporez 2 blancs d'œufs et du colorant jusqu'à l'obtention d'une pâte homogène.

Dans une casserole, portez l'eau et le sucre semoule à ébullition et faites chauffer jusqu'à 115 °C. Montez les 2 blancs restants en neige puis versez doucement le sirop bouillant, en battant, jusqu'à ce que la meringue soit complètement refroidie.

Mélangez ⅓ de la meringue à la pâte d'amande au chocolat avec une spatule puis incorporez le reste de la meringue et macaronez avec une corne.

Pochez des petites noix de pâte de 3 cm de diamètre à la poche à douille lisse de 8 mm sur les plaques à pâtisserie. Laissez sécher 30 minutes à température ambiante. Préchauffez le four à 150 °C et enfournez pour 12 à 14 minutes.

À la sortie du four, garnissez de ganache la moitié des macarons refroidis à l'aide d'une poche à douille, puis parsemez-les de gingembre confit coupé en tout petits dés avant de les assembler avec les coques restantes. Réservez au réfrigérateur 12 à 24 heures.

macarons framboise-chocolat au lait

Pour **40 macarons**
Préparation **55 minutes**
Croûtage **30 minutes**
Cuisson **12 à 14 minutes**

150 g de **poudre d'amande**
150 g de **sucre glace**
4 **blancs d'œufs**
colorant rose
dioxyde de titane
 en poudre ou en pâte
 (facultatif)
6 cl d'**eau**
150 g de **sucre semoule**

**Pour la ganache chocolat
 au lait-framboise :**
250 g de **chocolat au lait
 à pâtisser**
5 cl de **crème liquide**
90 g de **pulpe de framboise**

Préparez la ganache : faites fondre le chocolat
au bain-marie avec la crème liquide en remuant. Hors
du feu, incorporez la pulpe de framboise. Placez au frais.

Mixez puis tamisez 75 g de poudre d'amande mélangée
à 75 g de sucre glace. Incorporez 1 blanc d'œuf et du
colorant rose jusqu'à l'obtention d'une pâte homogène.

Dans une casserole, préparez un sirop à 115 °C
avec 75 g de sucre semoule et 3 cl d'eau. Montez
1 blanc d'œuf en neige puis versez doucement le sirop
bouillant en continuant de battre jusqu'à ce que
la meringue soit complètement refroidie.

Mélangez 1/3 de la meringue à la pâte d'amande avec
une spatule puis incorporez le reste de la meringue
et macaronez la préparation à la corne.

Pochez des petites noix de pâte de 3 cm de diamètre
à la poche à douille lisse de 8 mm sur une plaque
à pâtisserie. Laissez sécher 30 minutes.

Préparez les macarons blancs selon la même méthode,
en remplaçant le colorant rose par du dioxyde de titane.

Préchauffez le four à 150 °C et enfournez pour
12 à 14 minutes.

À la sortie du four, garnissez de ganache les coques
roses refroidies puis assemblez les macarons avec
les coques blanches. Réfrigérez 12 à 24 heures.

macarons fourrés au chocolat

Pour **10 macarons**
Préparation **30 minutes**
Croûtage **40 minutes**
Cuisson **12 minutes**

100 g de **fruits confits**
  (orange, cédrat,
  gingembre…)
  finement hachés
65 g de **poudre d'amande**
55 g de **poudre de noisette**
½ c. à c. de **cannelle
  moulue**
200 g de **sucre glace**
3 **blancs d'œufs**
25 g de **sucre en poudre**

Pour la ganache légère :
20 cl de **crème liquide**
200 g de **chocolat noir
  à pâtisser** haché
2 **blancs d'œufs**

Préparez la ganache : versez la crème chaude sur
le chocolat, en remuant doucement jusqu'à l'obtention
d'une ganache lisse. Montez les blancs d'œufs en neige
ferme puis incorporez-les à la ganache. Réservez au frais.

Préparez le tant pour tant : mixez puis tamisez
les poudres d'amande et de noisette mélangées
à la cannelle et au sucre glace.

Montez les blancs d'œufs en neige au batteur électrique
en ajoutant le sucre en poudre en pluie à mi-parcours,
puis continuez de battre jusqu'à l'obtention d'une
meringue bien ferme, lisse et brillante. Incorporez
le tant pour tant à l'aide d'une spatule souple
et macaronez la préparation.

Pochez des petits tas de pâte de 6 cm de diamètre,
en quinconce, bien espacés les uns des autres, avec
une douille lisse puis parsemez-les délicatement de
petits dés de fruits confits. Laissez sécher 40 minutes
à température ambiante.

Préchauffez le four à 175 °C et enfournez pour
12 minutes, en baissant la température du four
à 150 °C pendant les 5 dernières minutes.

À la sortie du four, faites glisser les feuilles de papier
sulfurisé sur le plan de travail et laissez refroidir avant
de décoller les macarons. Garnissez la moitié des
macarons de ganache au chocolat à l'aide d'une
poche à douille puis assemblez-les deux par deux.

macarons pistache au chocolat

Pour **40 macarons**
Préparation **50 minutes**
Croûtage **30 minutes**
Cuisson **12 à 14 minutes**

90 g de **pistaches vertes**
    décortiquées, non salées
60 g de **poudre d'amande**
150 g de **sucre glace**
4 **blancs d'œufs**
colorants vert et **jaune**
6 cl d'**eau**
150 g de **sucre semoule**

Pour la ganache
  au chocolat :
20 cl de **crème liquide**
1 sachet de **sucre vanillé**
250 g de **chocolat noir**
    à pâtisser haché
50 g de **beurre** coupé
    en petits morceaux

Préparez la ganache : chauffez la crème liquide et
le sucre vanillé puis versez sur le chocolat, en remuant.
Incorporez le beurre et remuez jusqu'à l'obtention
d'une ganache bien lisse. Laissez refroidir au
réfrigérateur.

Mixez finement les pistaches, la poudre d'amande
et le sucre glace puis tamisez ce mélange. Incorporez
2 blancs d'œufs et les colorants.

Dans une casserole, portez l'eau et le sucre à ébullition
et faites chauffer jusqu'à l'obtention d'un sirop à 115 °C.
Montez les 2 blancs restants en neige puis versez
doucement le sirop bouillant en continuant de battre
jusqu'à ce que la meringue soit complètement refroidie.

Mélangez 1/3 de la meringue à la pâte à la pistache
avec une spatule puis incorporez le reste de la meringue
et macaronez la préparation avec une corne jusqu'à
ce qu'elle forme un ruban lisse et brillant.

Pochez des petites noix de pâte de 3 cm de diamètre
à la poche à douille lisse de 8 mm sur les plaques
à pâtisserie. Laissez sécher 30 minutes.

Préchauffez le four à 150 °C et enfournez pour
12 à 14 minutes.

À la sortie du four, garnissez la moitié des macarons
refroidis de ganache à la poche à douille puis assemblez-
les avec les coques restantes. Réservez au réfrigérateur
12 à 24 heures.

macarons au chocolat blanc & rose ou litchi

Pour **40 macarons**
Préparation **55 minutes**
Croûtage **30 minutes**
Cuisson **12 à 14 minutes**

150 g de **poudre d'amande**
150 g de **sucre glace**
4 **blancs d'œufs**
colorant rose framboise
dioxyde de titane
   en poudre ou en pâte
   (facultatif)
6 cl d'**eau**
150 g de **sucre semoule**

Pour la ganache au litchi :
125 g de **chocolat blanc**
   à pâtisser
4 cl de **crème liquide**
6 cl de **Soho** (liqueur
   de litchi)

Pour la ganache à la rose :
125 g de **chocolat blanc**
   à pâtisser
4 cl de **crème liquide**
60 g de **confit de pétales**
   de rose

Préparez la ganache au litchi : faites fondre le chocolat au bain-marie avec la crème liquide en remuant puis retirez du feu et incorporez la liqueur en remuant jusqu'à l'obtention d'une ganache lisse. Laissez refroidir au réfrigérateur.

Préparez la ganache à la rose : faites fondre le chocolat au bain-marie avec la crème liquide en remuant puis retirez du feu et incorporez le confit de pétales de rose. Laissez refroidir au réfrigérateur.

Préparez les macarons en vous reportant à la recette des macarons framboise-chocolat au lait, page 56.

À la sortie du four, garnissez la moitié des coques roses de ganache à la rose, à l'aide d'une poche à douille, puis assemblez les macarons avec le reste des coques de même couleur. Recommencez l'opération avec les coques blanches et la ganache au litchi. Réservez au réfrigérateur 12 à 24 heures.

macarons chocolat-café

Pour **30 macarons**
Préparation **40 minutes**
Croûtage **40 minutes**
Cuisson **12 minutes**

125 g de **poudre d'amande**
225 g de **sucre glace**
4 **blancs d'œufs** moyens
50 g de **sucre en poudre**

**Pour la ganache
chocolat-café :**
20 cl de **crème liquide**
1 sachet de **sucre vanillé**
½ c. à c. d'**extrait de café**
250 g de **chocolat noir
à pâtisser** haché
60 g de **beurre** coupé
en petits morceaux

Préparez la ganache : chauffez la crème liquide mélangée au sucre vanillé et à l'extrait de café puis versez sur le chocolat, en remuant. Incorporez le beurre. Laissez refroidir au réfrigérateur.

Mixez et tamisez la poudre d'amande mélangée au sucre glace. Montez les blancs d'œufs en neige en incorporant le sucre en poudre en pluie en fin de processus jusqu'à l'obtention de blancs très brillants. Incorporez ensuite le mélange sec et macaronez la préparation à l'aide d'une spatule ou d'une corne.

Tapissez des plaques à pâtisserie de papier sulfurisé et disposez-y des petits tas de pâte de 3 cm de diamètre en quinconce, bien espacés, à l'aide d'une poche à douille lisse de 8 mm. Laissez sécher 40 minutes.

Préchauffez le four à 175 °C et enfournez pour 12 minutes, en baissant la température du four à 150 °C pendant les 5 dernières minutes.

À la sortie du four, faites glisser les feuilles de papier sulfurisé sur le plan de travail humidifié et décollez les macarons. Garnissez de ganache la partie plate de la moitié des macarons, à l'aide d'une poche à douille lisse, puis assemblez-les avec les macarons restants.

Disposez les macarons sur un plateau, couvrez-les de film alimentaire et gardez-les au réfrigérateur 12 à 24 heures. Sortez les macarons du réfrigérateur 1 heure avant de les servir.

macarons au chocolat et groseilles

Pour **10 macarons**
Préparation **50 minutes**
Réfrigération **1 h 30**
 au moins
Croûtage **40 minutes**
Cuisson **14 minutes**

70 g de **poudre d'amande**
75 g de **sucre glace**
12 g de **cacao amer**
 en poudre
2 **blancs d'œufs**
3 cl d'**eau**
75 g de **sucre semoule**

Pour la crème à la vanille :
50 cl de **lait**
½ **gousse de vanille** fendue
6 **jaunes d'œufs**
125 g de **sucre**
20 g de **farine**
30 g de **Maïzena**
100 g de **beurre doux**
 coupé en petits morceaux

Pour la finition :
100 g de **groseilles**
sucre glace
30 cl de **coulis de fruits**
 rouges

Préparez la crème à la vanille : faites chauffer le lait à feu doux avec la demi-gousse de vanille. Battez les jaunes d'œufs et le sucre au fouet puis incorporez la farine et la Maïzena. Versez le lait chaud sur le mélange puis reversez le tout dans la casserole et faites épaissir la crème à feu doux 3 à 4 minutes, en remuant. Hors du feu, incorporez le beurre puis placez au frais 1 h 30.

Mixez et tamisez la poudre d'amande mélangée au sucre glace et au cacao. Incorporez 1 blanc d'œuf jusqu'à l'obtention d'une pâte homogène.

Dans une casserole, préparez un sirop à 115 °C avec le sucre semoule et l'eau. Montez le blanc restant en neige puis versez le sirop bouillant, en battant, jusqu'à ce que la meringue soit complètement refroidie.

Mélangez ⅓ de la meringue à la pâte d'amande au chocolat avec une spatule puis incorporez le reste de la meringue et macaronez avec une corne.

Pochez des petits tas de pâte de 6 cm de diamètre avec une douille lisse. Laissez sécher 40 minutes.

Préchauffez le four à 150 °C et enfournez pour 14 minutes.

Garnissez la moitié des macarons de crème à la vanille, ajoutez les groseilles puis assemblez-les avec les coques restantes. Emballez dans du film alimentaire et réservez au réfrigérateur. Saupoudrez les macarons de sucre glace et servez avec un coulis de fruits rouges.

framboisier au macaron chocolat

Pour **4 à 6 personnes**
Préparation **55 minutes**
Croûtage **1 heure**
Cuisson **14 minutes**
Réfrigération **2 heures**

110 g de **poudre d'amande**
225 g de **sucre glace**
25 g de **cacao amer**
   en poudre
4 **blancs d'œufs**
50 g de **sucre en poudre**

**Pour la mousse
   au chocolat :**
225 g de **chocolat noir
   à pâtisser**
50 g de **beurre doux**
1 c. à s. bombée de **cacao
   amer** en poudre
5 **œufs**, blancs et jaunes
   séparés
75 g de **sucre en poudre**
1 pincée de **sel**

Pour la finition :
200 g de **framboises**
quelques **écorces d'orange
   confites**
sucre glace

Mixez et tamisez la poudre d'amande mélangée au sucre glace et au cacao. Montez les blancs d'œufs en neige ferme, incorporez le sucre en poudre en fin de processus. Ajoutez ensuite le mélange sec et macaronez la préparation à la spatule ou à la corne jusqu'à ce qu'elle forme un ruban lisse et brillant.

Tapissez de papier sulfurisé 2 petites plaques à pâtisserie carrées ou 2 petits moules à tarte. Répartissez-y la pâte à macaron, puis laissez sécher 1 heure à température ambiante.

Préchauffez le four à 150 °C puis enfournez pour 14 minutes.

Préparez la mousse au chocolat : faites fondre le chocolat au bain-marie avec le beurre et le cacao. Hors du feu, incorporez les jaunes l'un après l'autre en fouettant vivement, puis ajoutez le sucre. Montez les blancs en neige avec le sel puis incorporez-les délicatement à la préparation au chocolat.

À la sortie du four, laissez refroidir les macarons sur les plaques puis décollez-en une et posez-la à l'envers sur le plat de service. Garnissez-la de mousse au chocolat puis ajoutez les framboises côte à côte. Recouvrez de la seconde plaque de macaron. Couvrez de film alimentaire et réfrigérez 2 heures.

Décorez avec des framboises et des écorces d'orange confites puis saupoudrez de sucre glace avant de servir.

macarons
fruités

macarons à l'orange

Pour **40 macarons
à l'orange**
Préparation **50 minutes**
Croûtage **30 minutes**
Cuisson **11 minutes**

115 g de **poudre d'amande**
200 g de **sucre glace**
3 **blancs d'œufs**
75 g de **sucre en poudre**
colorant orange
ou **rouge** et **jaune**

Pour la **ganache chocolat
blanc-orange** :
250 g de **chocolat blanc
à pâtisser**
10 cl de **crème liquide**
10 cl de **jus d'orange**
le **zeste** de 1 petite **orange**
non traitée, finement râpé

Préparez la ganache : faites fondre le chocolat blanc
au bain-marie avec la crème liquide, en remuant. Hors
du feu, incorporez le jus et le zeste de l'orange puis
placez au réfrigérateur.

Préparez le tant pour tant : mixez puis tamisez
la poudre d'amande mélangée au sucre glace.

Montez les blancs d'œufs en neige en ajoutant le sucre
en poudre en pluie à mi-parcours, puis continuez de
battre jusqu'à l'obtention d'une meringue ferme, lisse
et brillante. Incorporez le tant pour tant à l'aide d'une
spatule souple et les colorants, puis macaronez la
préparation.

Pochez des petites noix de pâte de 3 cm de diamètre
à la poche à douille lisse de 8 mm sur la plaque du
four. Laissez sécher 30 minutes. Préchauffez le four
à 160 °C et enfournez pour 11 minutes.

À la sortie du four, garnissez la moitié des macarons
refroidis de ganache à la poche à douille puis assemblez-
les avec les coques restantes. Réservez au réfrigérateur 12 à 24 heures.

Pour les macarons au citron, reportez-vous page 76,
préparez la même ganache que ci-dessus, en remplaçant
le zeste et le jus de l'orange par du citron. Ou encore,
utilisez de la marmelade de citron.

Pour les macarons à la fraise et à la framboise,
reportez-vous aux recettes pages 74 et 32.

macarons à la fraise et au citron

Pour **40 macarons
à la fraise**
Préparation **55 minutes**
Croûtage **30 minutes**
Cuisson **12 à 14 minutes**

150 g de **poudre d'amande**
150 g de **sucre glace**
4 **blancs d'œufs**
colorant rouge
6 cl d'**eau**
150 g de **sucre semoule**
marmelade de fraises

Mixez puis tamisez la poudre d'amande mélangée au sucre glace. Incorporez 2 blancs d'œufs et du colorant.

Dans une casserole, portez l'eau et le sucre semoule à ébullition et faites chauffer jusqu'à 115 °C. Montez les 2 blancs restants en neige puis versez doucement le sirop bouillant, en battant, jusqu'à ce que la meringue soit complètement refroidie.

Mélangez ⅓ de meringue à la pâte d'amande avec une spatule puis incorporez le reste de la meringue et macaronez la préparation avec une corne.

Pochez des petites noix de pâte de 3 cm de diamètre à la poche à douille lisse de 8 mm sur les plaques du four. Laissez sécher 30 minutes.

Préchauffez le four à 150 °C et enfournez pour 12 à 14 minutes.

À la sortie du four, garnissez la moitié des macarons de marmelade de fraises puis assemblez-les avec les coques restantes. Emballez dans du film alimentaire et réservez au réfrigérateur 1 à 2 heures.

Pour les macarons au citron, voir page 76. Remplacez la crème au citron par une ganache chocolat blanc-citron : brossez 1 citron non traité à l'eau chaude, essuyez-le et râpez-en le zeste à la grille fine. Faites fondre 250 g de chocolat blanc au bain-marie avec 10 cl de crème liquide, en remuant. Hors du feu, incorporez le jus et le zeste de citron puis laissez refroidir.

macarons au citron

Pour **40 macarons**
Préparation **50 minutes**
Réfrigération **2 à 3 heures**
Croûtage **30 minutes**
Cuisson **11 minutes**

115 g de **poudre d'amande**
200 g de **sucre glace**
3 **blancs d'œufs**
75 g de **sucre en poudre**
colorant jaune

Pour la crème au citron :
4 **œufs**
150 g de **sucre en poudre**
le **jus** et les **zestes**
  finement râpés
  de 2 **citrons** non traités
100 g de **beurre** coupé
  en petits morceaux

Préparez la crème au citron : battez les œufs avec le sucre dans un saladier puis ajoutez le jus et les zestes de citron. Mélangez jusqu'à consistance homogène puis posez le saladier sur une petite casserole d'eau frémissante, ajoutez le beurre et faites cuire au bain-marie, en remuant, jusqu'à ce que la crème épaississe. Retirez du bain-marie, laissez tiédir puis réservez quelques heures au réfrigérateur.

Préparez le tant pour tant : mixez puis tamisez la poudre d'amande mélangée au sucre glace.

Montez les blancs d'œufs en neige en ajoutant le sucre en poudre en pluie à mi-parcours, puis continuez de battre jusqu'à l'obtention d'une meringue ferme, lisse et brillante. Incorporez le tant pour tant à l'aide d'une spatule souple et le colorant, puis macaronez la préparation.

Pochez des petites noix de pâte de 3 cm de diamètre à la poche à douille lisse de 8 mm sur la plaque du four. Laissez sécher 30 minutes. Préchauffez le four à 160 °C et enfournez pour 11 minutes.

À la sortie du four, garnissez la moitié des macarons refroidis de crème au citron à la poche à douille puis assemblez-les avec les coques restantes. Réservez 1 nuit au réfrigérateur.

Variante Remplacez la crème au citron par du lemon curd du commerce (au rayon confitures) ou par de la marmelade.

macarons à la noix de coco

Pour **40 macarons**
Préparation **50 minutes**
Croûtage **30 minutes**
Cuisson **12 à 14 minutes**

75 g de **poudre d'amande**
75 g de **noix de coco** râpée
150 g de **sucre glace**
4 **blancs d'œufs**
6 cl d'**eau**
200 g de **sucre semoule**

Pour la ganache noix
 de coco :
20 cl de **crème liquide**
250 g de **chocolat blanc**
 haché
30 g de **noix de coco** râpée
20 g de **beurre** coupé
 en petits morceaux

Préparez la ganache noix de coco : chauffez
la crème liquide et versez-la sur le chocolat blanc,
en remuant. Incorporez la noix de coco et le beurre.
Laissez refroidir au réfrigérateur.

Mixez et tamisez la poudre d'amande mélangée
à la moitié de la noix de coco et au sucre glace.
Incorporez 2 blancs d'œufs.

Dans une casserole, portez l'eau et le sucre semoule
à ébullition et faites chauffer jusqu'à 115 °C. Montez
les 2 blancs restants en neige puis versez doucement
le sirop bouillant, en battant, jusqu'à ce que la meringue
soit complètement refroidie.

Mélangez 1/3 de la meringue à la pâte d'amande-coco
avec une spatule puis incorporez le reste de la meringue
et macaronez la préparation à la corne jusqu'à ce
qu'elle forme un ruban lisse et brillant.

Pochez des petites noix de pâte de 3 cm de diamètre
à la poche à douille lisse de 8 mm sur les plaques
à pâtisserie. Saupoudrez du reste de la noix de coco,
puis laissez sécher 30 minutes.

Préchauffez le four à 150 °C et enfournez pour
12 à 14 minutes.

À la sortie du four, garnissez de ganache la moitié
des macarons à la poche à douille puis assemblez-les
avec les coques restantes. Réservez au réfrigérateur
12 à 24 heures.

macarons ananas-passion

Pour **40 macarons**
Préparation **55 minutes**
Réfrigération **2 heures**
  au moins
Croûtage **30 minutes**
Cuisson **12 à 14 minutes**

150 g de **poudre d'amande**
150 g de **sucre glace**
4 **blancs d'œufs**
colorant mandarine
  ou **jaune d'or**
6 cl d'**eau**
150 g de **sucre semoule**

Pour la marmelade
  ananas-passion :
300 g d'**ananas** coupé
  en tout petits dés
2 **fruits de la passion**
20 g de **sucre en poudre**
1 sachet de **sucre vanillé**
1 c. à c. de **pectine**
  (style Vitpris)
le **jus** de ½ **citron**

Préparez la marmelade ananas-passion : faites compoter à feu doux tous les ingrédients pendant 15 minutes, en remuant régulièrement, jusqu'à ce que le jus de cuisson se soit évaporé. Retirez du feu et laissez refroidir 2 heures au réfrigérateur.

Mixez puis tamisez la poudre d'amande mélangée au sucre glace. Incorporez 2 blancs d'œufs et du colorant jusqu'à l'obtention d'une pâte homogène.

Dans une casserole, portez l'eau et le sucre semoule à ébullition et faites chauffer jusqu'à 115 °C. Montez les 2 blancs restants en neige puis versez doucement le sirop bouillant, en battant, jusqu'à ce que la meringue soit complètement refroidie.

Mélangez ⅓ de la meringue à la pâte d'amande avec une spatule souple puis incorporez le reste de la meringue et macaronez la préparation avec une corne.

Pochez des petites noix de pâte de 3 cm de diamètre à la poche à douille lisse de 8 mm sur les plaques à pâtisserie. Laissez sécher 30 minutes.

Préchauffez le four à 150 °C et enfournez pour 12 à 14 minutes.

À la sortie du four, garnissez la moitié des macarons de marmelade puis assemblez-les avec les coques restantes. Emballez dans du film alimentaire et réservez au réfrigérateur 1 à 2 heures.

macarons mandarine et baies roses

Pour **40 macarons**
Préparation **50 minutes**
Réfrigération **1 nuit**
Croûtage **30 minutes**
Cuisson **12 à 14 minutes**

150 g de **poudre d'amande**
2 c. à c. de **baies roses**
150 g de **sucre glace**
4 **blancs d'œufs**
1 c. à c. de **Mandarine
Impériale** (facultatif)
colorant orange
6 cl d'**eau**
150 g de **sucre semoule**

**Pour la crème
à la mandarine :**
3 **œufs** + 6 **jaunes d'œufs**
75 g de **sucre en poudre**
20 cl de **jus de mandarine**
chaud
125 g de **chocolat blanc**
haché
110 g de **beurre doux**
coupé en petits morceaux

Préparez la crème à la mandarine la veille : dans un saladier, battez les œufs entiers, les jaunes et le sucre puis incorporez le jus de mandarine. Versez le mélange dans une casserole et faites cuire à feu très doux 4 minutes, en remuant, jusqu'à épaississement. Retirez du feu et incorporez le chocolat blanc et le beurre. Réservez au frais jusqu'au lendemain.

Mixez puis tamisez la poudre d'amande mélangée aux baies roses et au sucre glace. Incorporez 2 blancs d'œufs, la liqueur et du colorant orange.

Dans une casserole, portez l'eau et le sucre semoule à ébullition et faites chauffer jusqu'à 115 °C. Montez les 2 blancs restants en neige puis versez doucement le sirop bouillant, en battant, jusqu'à ce que la meringue soit complètement refroidie.

Mélangez 1/3 de la meringue à la pâte d'amande avec une spatule puis incorporez le reste de la meringue et macaronez la préparation à la corne.

Pochez des petites noix de pâte de 3 cm de diamètre à la poche à douille lisse de 8 mm sur les plaques du four. Laissez sécher 30 minutes. Préchauffez le four à 150 °C et enfournez pour 12 à 14 minutes.

À la sortie du four, garnissez la moitié des macarons refroidis de crème à la mandarine puis assemblez-les avec les coques restantes. Réservez 1 nuit au réfrigérateur.

macarons à la mandarine

Pour **40 macarons**
Préparation **50 minutes**
Croûtage **30 minutes**
Cuisson **12 à 14 minutes**

150 g de **poudre d'amande**
150 g de **sucre glace**
4 **blancs d'œufs**
1 c. à c. de **Mandarine**
  Impériale (facultatif)
colorant orange
6 cl d'**eau**
150 g de **sucre semoule**

Pour le mascarpone
  à la mandarine :
200 g de **mascarpone**
100 g de **sucre glace**
2,5 cl de **jus de mandarine**
2 cl de **Mandarine**
  Impériale

Préparez le mascarpone à la mandarine : mélangez tous les ingrédients au fouet à main, puis placez au frais.

Mixez et tamisez la poudre d'amande et le sucre glace. Incorporez 2 blancs d'œufs, la liqueur et du colorant.

Dans une casserole, portez l'eau et le sucre semoule à ébullition et faites chauffer jusqu'à 115 °C. Montez les 2 blancs restants en neige puis versez doucement le sirop bouillant, en battant, jusqu'à ce que la meringue soit complètement refroidie.

Mélangez ⅓ de la meringue à la pâte d'amande avec une spatule puis incorporez le reste de la meringue et macaronez la préparation avec une corne.

Pochez des petites noix de pâte de 3 cm de diamètre à la poche à douille lisse de 8 mm sur les plaques à pâtisserie. Laissez sécher 30 minutes. Préchauffez le four à 150 °C et enfournez pour 12 à 14 minutes.

À la sortie du four, garnissez la moitié des macarons refroidis de mascarpone à la mandarine puis assemblez-les avec les coques restantes. Réservez au réfrigérateur 12 à 24 heures.

Variante Remplacez le mascarpone par une marmelade de mandarines : faites compoter 3 mandarines et 1 pamplemousse pelés à vif avec 2 gouttes d'essence d'orange amère, 3 cuillerées à soupe d'eau et 150 g de sucre avec gélifiant. Réservez au frais.

macarons Saint-Valentin

Pour **10 macarons**
Préparation **50 minutes**
Réfrigération **1 h 30** au moins
Croûtage **40 minutes**
Cuisson **13 à 15 minutes**

75 g de **poudre d'amande**
75 g de **sucre glace**
2 **blancs d'œufs**
colorant rose
3 cl d'**eau**
75 g de **sucre semoule**

Pour la mousseline
  à la vanille :
50 cl de **lait**
½ **gousse de vanille** fendue
6 **jaunes d'œufs**
125 g de **sucre**
20 g de **farine**
30 g de **Maïzena**
100 g de **beurre doux**
  coupé en petits morceaux

Pour la garniture :
1 pot de **marmelade
  de pêches**
100 g de **framboises**
  fraîches

Pour la mousseline à la vanille, faites chauffer le lait à feu doux avec la vanille. Battez les jaunes d'œufs et le sucre puis incorporez la farine et la Maïzena. Versez le lait chaud (jetez la gousse), puis reversez le tout dans la casserole
et faites cuire 3 à 4 minutes à feu doux, en remuant, jusqu'à épaississement. Hors du feu, incorporez le beurre puis placez au réfrigérateur pour 1 h 30.

Mixez puis tamisez la poudre d'amande mélangée au sucre glace. Incorporez 1 blanc d'œuf et du colorant.

Dans une casserole, préparez un sirop à 115 °C avec l'eau et le sucre semoule. Montez le blanc restant en neige puis versez le sirop bouillant, en battant, jusqu'à ce que la meringue soit complètement refroidie.

Mélangez ⅓ de la meringue à la pâte d'amande avec une spatule, puis incorporez le reste de la meringue et macaronez la préparation.

Tapissez les plaques de papier sulfurisé sur lequel vous aurez dessiné des cœurs. À l'aide d'une poche à douille lisse, disposez la pâte dans les cœurs. Laissez sécher 40 minutes. Préchauffez le four à 150 °C et enfournez pour 13 à 15 minutes.

À la sortie du four, glissez les feuilles de papier sulfurisé sur le plan de travail et laissez refroidir. Garnissez le centre de la moitié des cœurs de 1 cuillerée de marmelade de pêches et ajoutez 3 framboises. Garnissez le pourtour de mousseline à la vanille puis assemblez les macarons avec les coques restantes. Réfrigérez 1 heure.

gâteau-macaron framboise

Pour **6 personnes**
Préparation **50 minutes**
Croûtage **30 minutes**
Cuisson **20 à 25 minutes**
Réfrigération **1 h 30**
  + 1 heure

120 g de **sucre glace**
  + 1 c. à s.
110 g de **poudre d'amande**
4 **blancs d'œufs**
30 g de **sucre en poudre**
1 sachet de **sucre vanillé**

**Pour la mousseline
à la vanille :**
50 cl de **lait**
½ **gousse de vanille** fendue
6 **jaunes d'œufs**
125 g de **sucre**
20 g de **farine**
30 g de **Maïzena**
100 g de **beurre doux**
  coupé en petits morceaux

Pour la finition :
150 g de **framboises**
  fraîches
sucre glace

Préparez la mousseline : faites chauffer le lait à feu doux avec la demi-gousse de vanille. Fouettez les jaunes d'œufs et le sucre puis incorporez la farine et la Maïzena. Versez le lait chaud sur le mélange (jetez la gousse), puis reversez le tout dans la casserole et faites cuire à feu doux 3 à 4 minutes, en remuant, jusqu'à épaississement. Hors du feu, incorporez le beurre puis placez au réfrigérateur pour 1 h 30.

Mixez puis tamisez la poudre d'amande mélangée au sucre glace. Montez les blancs d'œufs en neige en ajoutant le sucre en poudre en pluie à mi-parcours. Incorporez le mélange poudre d'amande-sucre glace à la spatule souple et macaronez la préparation.

Tracez 2 cercles de 18 cm de diamètre sur une feuille de papier sulfurisé et posez-la sur la plaque à pâtisserie. À l'aide d'une poche à douille lisse, remplissez chaque cercle de pâte à macaron en spirales, en partant du centre. Laissez sécher 30 minutes en saupoudrant légèrement de sucre glace 2 fois à 15 minutes d'intervalle. Enfournez au four préchauffé à 160 °C pour 20 à 25 minutes.

À la sortie du four, glisser la feuille de papier sulfurisé sur le plan de travail et laissez refroidir. Disposez l'un des disques sur le plat de service, garnissez-le de mousseline à la vanille, puis ajoutez les framboises et recouvrez du second disque. Placez 1 heure au frais.

Sortez le gâteau 15 minutes avant de servir et saupoudrez-le de sucre glace au dernier moment.

macarons ganache à la framboise

Pour **40 macarons**
Préparation **50 minutes**
Croûtage **30 minutes**
Cuisson **12 à 14 minutes**

150 g de **poudre d'amande**
150 g de **sucre glace**
4 **blancs d'œufs**
colorant rose framboise
6 cl d'**eau**
150 g de **sucre semoule**

Pour la ganache
  à la framboise :
200 g de **chocolat noir**
  à **pâtisser**
10 cl de **crème liquide**
100 g de **marmelade
  de framboises**

Préparez la ganache à la framboise : faites fondre
le chocolat au bain-marie avec la crème liquide,
en remuant, puis retirez du feu et incorporez
la marmelade de framboises. Placez au réfrigérateur.

Mixez puis tamisez la poudre d'amande mélangée
au sucre glace. Incorporez 2 blancs d'œufs et du colorant.

Dans une casserole, portez l'eau et le sucre semoule
à ébullition et faites chauffer jusqu'à 115 °C. Montez
les 2 blancs restants en neige puis versez doucement
le sirop bouillant en continuant de battre jusqu'à
ce que la meringue soit complètement refroidie.

Mélangez 1/3 de la meringue à la pâte d'amande
avec une spatule puis incorporez le reste de la meringue
et macaronez la préparation avec une corne.

Pochez des petites noix de pâte de 3 cm de diamètre
à la poche à douille lisse de 8 mm sur les plaques à
pâtisserie. Laissez sécher 30 minutes à température
ambiante. Préchauffez le four à 150 °C et enfournez
pour 12 à 14 minutes de cuisson.

À la sortie du four, garnissez de ganache la moitié
des macarons refroidis à l'aide d'une poche à douille
puis assemblez-les avec les coques restantes.
Réservez au réfrigérateur 12 à 24 heures.

macarons
de folie !

macarons avocat-banane-chocolat

Pour **40 macarons**
Préparation **55 minutes**
Croûtage **30 minutes**
Cuisson **12 à 14 minutes**

150 g de **poudre d'amande**
150 g de **sucre glace**
4 **blancs d'œufs**
colorant jaune d'or
6 cl d'**eau**
150 g de **sucre semoule**

**Pour la ganache
au chocolat noir :**
15 cl de **crème liquide**
150 g de **chocolat noir
à pâtisser à 70 %
de cacao**, haché
60 g de **beurre** coupé
en petits morceaux

**Pour la ganache
avocat-banane :**
80 g de chair d'**avocat**
65 g de chair de **banane**
1 c. à s. de **jus de citron**
2 cl de **jus d'orange**
le **zeste** finement râpé
de ½ petit **citron vert**
2 gouttes de **Tabasco**
poivre blanc en moulin
8 cl de **crème liquide**
200 g de **chocolat blanc**
haché

Préparez la ganache au chocolat noir : versez
la crème liquide sur le chocolat, en remuant, puis
incorporez le beurre jusqu'à l'obtention d'une ganache
lisse. Versez-la dans un moule rectangulaire chemisé
de film alimentaire sur 8 mm d'épaisseur et faites
refroidir au réfrigérateur.

Préparez la ganache avocat-banane : mixez l'avocat
et la banane avec le jus de citron. Ajoutez le jus d'orange,
le zeste de citron vert, le Tabasco et 2 tours de moulin
de poivre blanc.

Dans un grand saladier, versez la crème liquide
bouillante sur le chocolat blanc, en remuant, jusqu'à
ce que le chocolat ait fondu puis incorporez doucement
la purée avocat-banane. Couvrez de film alimentaire
et placez au réfrigérateur.

Préparez les macarons aux amandes (voir page 22),
en remplaçant la vanille par du colorant jaune d'or.

Garnissez la moitié des macarons de ganache
avocat-banane à l'aide d'une poche à douille, ajoutez
1 petit carré de ganache au chocolat noir au centre,
puis recouvrez d'une pointe de ganache avocat-
banane. Assemblez les macarons avec les coques
restantes et réservez au réfrigérateur 12 à 24 heures.

Sortez les macarons 2 heures avant la dégustation.

macarons au thé vert matcha

Pour **40 macarons**
Préparation **50 minutes**
Croûtage **30 minutes**
Cuisson **12 à 14 minutes**

150 g de **poudre d'amande**
150 g de **sucre glace**
1 c. à c. rase de **poudre
  de thé vert matcha**
4 **blancs d'œufs**
colorant vert
6 cl d'**eau**
150 g de **sucre semoule**

**Pour la ganache
  au chocolat blanc :**
15 cl de **crème liquide**
30 g de **miel** liquide
1 c. à c. de **poudre
  de thé vert matcha**
250 g de **chocolat blanc
  à pâtisser** haché

Préparez la ganache au chocolat blanc : faites chauffer la crème liquide, le miel et la poudre de thé vert puis versez sur le chocolat blanc, en remuant. Laissez refroidir au réfrigérateur.

Mixez puis tamisez la poudre d'amande mélangée au sucre glace et à la poudre de thé vert. Incorporez 2 blancs d'œufs et du colorant vert.

Dans une casserole, portez l'eau et le sucre semoule à ébullition et faites chauffer jusqu'à l'obtention d'un sirop à 115 °C. Montez les 2 blancs restants en neige puis versez doucement le sirop bouillant, en battant, jusqu'à ce que la meringue soit complètement refroidie.

Mélangez 1/3 de la meringue à la pâte d'amande avec une spatule puis incorporez le reste de la meringue et macaronez la préparation à la corne jusqu'à ce qu'elle forme un ruban lisse et brillant.

Pochez des petites noix de pâte de 3 cm de diamètre à la poche à douille lisse de 8 mm sur les plaques à pâtisserie. Laissez sécher 30 minutes. Préchauffez le four à 150 °C et enfournez pour 12 à 14 minutes.

À la sortie du four, décollez les macarons refroidis, garnissez-en la moitié de ganache puis assemblez-les avec les coques restantes. Réservez au réfrigérateur 12 à 24 heures.

macarons à la lavande

Pour **40 macarons**
Préparation **50 minutes**
Croûtage **30 minutes**
Cuisson **12 à 14 minutes**

150 g de **poudre d'amande**
150 g de **sucre glace**
4 **blancs d'œufs**
6 cl d'**eau**
90 g de **sucre semoule**
40 g de **miel de lavande**

Pour la ganache
à la lavande :
15 cl de **crème liquide**
1 c. à c. bombée de **fleurs
de lavande**
(en magasins bio)
250 g de **chocolat blanc**
25 g de **beurre**

Préparez la ganache à la lavande : faites chauffer
la crème liquide avec les fleurs de lavande, puis retirez
du feu, couvrez et laissez infuser 15 minutes. Filtrez
la crème et versez-la sur le chocolat blanc mis à fondre
avec le beurre au bain-marie. Mélangez puis placez
au réfrigérateur.

Mixez puis tamisez la poudre d'amande mélangée
au sucre glace. Incorporez 2 blancs d'œufs.

Dans une casserole, portez à ébullition l'eau mélangée
au sucre semoule et au miel, et faites chauffer jusqu'à
115 °C. Montez les 2 blancs restants en neige puis
versez doucement le sirop bouillant, en battant, jusqu'à
ce que la meringue soit complètement refroidie.

Mélangez 1/3 de la meringue à la pâte d'amande avec
une spatule puis incorporez le reste de la meringue
et macaronez la préparation à la corne.

Pochez des petites noix de pâte de 3 cm de diamètre
à la poche à douille lisse de 8 mm sur les plaques à
pâtisserie. Laissez sécher 30 minutes. Préchauffez
le four à 150 °C et enfournez pour 12 à 14 minutes.

À la sortie du four, décollez les macarons refroidis,
garnissez-en la moitié de ganache à la lavande, puis
assemblez-les avec les coques restantes. Réservez
au réfrigérateur 12 à 24 heures.

macarons à la réglisse

Pour **40 macarons**
Préparation **50 minutes**
Croûtage **30 minutes**
Cuisson **12 à 14 minutes**

150 g de **poudre d'amande**
150 g de **sucre glace**
4 **blancs d'œufs**
colorant noir en poudre
6 cl d'**eau**
150 g de **sucre semoule**

**Pour la ganache
à la réglisse :**
15 cl de **crème liquide**
3 c. à c. bombées
de **poudre de réglisse**
250 g de **chocolat blanc
à pâtisser** haché
1 rouleau de **réglisse Zan**

Préparez la ganache à la réglisse : faites chauffer la crème liquide et la poudre de réglisse pendant 1 minute puis versez sur le chocolat blanc, en remuant. Placez au réfrigérateur.

Mixez puis tamisez la poudre d'amande mélangée au sucre glace. Incorporez 2 blancs d'œufs et du colorant noir.

Dans une casserole, portez l'eau et le sucre semoule à ébullition et faites chauffer jusqu'à 115 °C. Montez les 2 blancs restants en neige puis versez doucement le sirop bouillant, en battant, jusqu'à ce que la meringue soit complètement refroidie.

Mélangez 1/3 de la meringue à la pâte d'amande avec une spatule puis incorporez le reste de la meringue et macaronez la préparation à la corne.

Pochez des petites noix de pâte de 3 cm de diamètre à la poche à douille lisse de 8 mm sur les plaques à pâtisserie. Laissez sécher 30 minutes. Préchauffez le four à 150 °C et enfournez pour 12 à 14 minutes.

À la sortie du four, ciselez le rouleau de réglisse en tout petits morceaux et mélangez-les à la ganache. Garnissez la moitié des macarons refroidis de ganache, puis assemblez-les avec les coques restantes. Réservez au réfrigérateur 12 à 24 heures.

macarons à la rose

Pour **40 macarons**
Préparation **55 minutes**
Réfrigération **1 heure**
  au moins
Croûtage **30 minutes**
Cuisson **12 à 14 minutes**

**Pour les macarons
à la rose :**
150 g de **poudre d'amande**
150 g de **sucre glace**
4 **blancs d'œufs**
colorant rose
6 cl d'**eau**
150 g de **sucre semoule**

Pour la ganache à la rose :
250 g de **chocolat blanc
à pâtisser**
10 cl de **crème liquide**
120 g de **confit de pétales
de rose**

Préparez la ganache à la rose : faites fondre
le chocolat au bain-marie avec la crème liquide,
en remuant, puis retirez du feu et incorporez le confit
de pétales de rose. Laissez refroidir au réfrigérateur.

Mixez puis tamisez la poudre d'amande mélangée
au sucre glace. Incorporez 2 blancs d'œufs et du
colorant rose.

Dans une casserole, portez l'eau et le sucre semoule
à ébullition et faites chauffer jusqu'à 115 °C. Montez
les 2 blancs restants en neige puis versez doucement
le sirop bouillant, en battant, jusqu'à ce que la meringue
soit complètement refroidie.

Mélangez 1/3 de meringue à la pâte d'amande avec
une spatule puis incorporez le reste de la meringue
et macaronez la préparation à la corne jusqu'à ce
qu'elle forme un ruban lisse et brillant.

Pochez des petites noix de pâte de 3 cm de diamètre
à la poche à douille lisse de 8 mm sur les plaques à
pâtisserie. Laissez sécher 30 minutes. Préchauffez
le four à 150 °C et enfournez pour 12 à 14 minutes.

À la sortie du four, décollez les macarons refroidis,
garnissez-en la moitié de ganache puis assemblez-les
avec les coques restantes. Réservez au réfrigérateur
12 à 24 heures.

Pour les macarons à la vanille, voir page 34.

macarons à la truffe blanche

Pour **20 macarons**
Préparation **50 minutes**
Croûtage **30 minutes**
Cuisson **12 à 14 minutes**

25 g de **poudre de noisette**
50 g de **poudre d'amande**
75 g de **sucre glace**
mélange 5-baies au moulin
2 **blancs d'œufs**
3 cl d'**eau**
75 g de **sucre semoule**
colorant blanc liquide

Pour le mascarpone
à la truffe blanche :
150 g de **mascarpone**
1 pincée de **sel**
mélange 5-baies au moulin
5 cl d'**huile de truffe**
blanche

Pour le mascarpone à la truffe blanche, fouettez le mascarpone dans un bol avec 1 pincée de sel et un peu de 5-baies, en incorporant l'huile de truffe en filet. Couvrez de film alimentaire et réservez au frais.

Mixez puis tamisez les poudres de noisette et d'amande mélangées au sucre glace et à 2 tours de moulin de 5-baies. Incorporez 1 blanc d'œuf et le colorant.

Dans une casserole, portez l'eau et le sucre semoule à ébullition et faites chauffer jusqu'à 115 °C. Montez le blanc restant en neige puis versez doucement le sirop bouillant, en battant, jusqu'à ce que la meringue soit complètement refroidie.

Mélangez 1/3 de meringue à la pâte d'amande et de noisette avec une spatule puis incorporez le reste de la meringue et macaronez la préparation à la corne.

Pochez des petites noix de pâte de 3 cm de diamètre à la poche à douille lisse de 8 mm sur les plaques à pâtisserie. Laissez sécher 30 minutes. Préchauffez le four à 150 °C et enfournez pour 12 à 14 minutes.

À la sortie du four, décollez les macarons refroidis et garnissez-en la moitié de mascarpone à la truffe blanche, puis assemblez-les avec les coques restantes. Réservez 12 à 24 heures au réfrigérateur dans une boîte hermétique.

cannelle, pistache et griottines

Pour **40 macarons**
Préparation **50 minutes**
Croûtage **30 minutes**
Cuisson **12 à 14 minutes**

150 g de **poudre d'amande**
150 g de **sucre glace**
1 c. à c. rase de **cannelle moulue**
4 **blancs d'œufs**
6 cl d'**eau**
150 g de **sucre semoule**

Pour la crème
  de pistache :
20 cl de **crème liquide**
100 g de **pâte de pistache**
2 sachets de **sucre vanillé**
4 **jaunes d'œufs**
40 g de **beurre doux** ramolli
  coupé en morceaux

Pour la finition :
1 bocal de **griottines**

Préparez la crème de pistache : chauffez la crème liquide, la pâte de pistache et 1 sachet de sucre vanillé. Battez les jaunes d'œufs avec le second sachet de sucre vanillé puis versez doucement la crème chaude, en remuant. Incorporez le beurre et placez au réfrigérateur.

Mixez puis tamisez la poudre d'amande mélangée au sucre glace et à la cannelle. Incorporez 2 blancs d'œufs.

Dans une casserole, portez l'eau et le sucre semoule à ébullition et faites chauffer jusqu'à 115 °C. Montez les 2 blancs restants en neige puis versez doucement le sirop bouillant, en battant, jusqu'à ce que la meringue soit complètement refroidie.

Mélangez 1/3 de la meringue à la pâte d'amande avec une spatule puis incorporez le reste de la meringue et macaronez la préparation à la corne.

Pochez des petites noix de pâte de 3 cm de diamètre à la poche à douille lisse de 8 mm sur les plaques à pâtisserie. Laissez sécher 30 minutes. Préchauffez le four à 150 °C et enfournez pour 12 à 14 minutes.

À la sortie du four, décollez les macarons refroidis et garnissez-en la moitié de crème de pistache, ajoutez 3 griottines, puis assemblez-les avec les coques restantes. Réservez au réfrigérateur 12 à 24 heures.

macarons aux marrons glacés

Pour **40 macarons**
Préparation **50 minutes**
Croûtage **30 minutes**
Cuisson **12 à 14 minutes**

140 g de **poudre d'amande**
150 g de **sucre glace**
4 **blancs d'œufs**
20 g de **purée de marrons**
colorants marron
   et **cannelle**
6 cl d'**eau**
150 g de **sucre semoule**

Pour la crème aux marrons glacés :
100 g de **beurre** ramolli
250 g de **purée de marrons**
1 ½ c. à c. de **rhum**
   ou d'**armagnac**
100 g de **brisures**
   de marrons glacés

Préparez la crème aux marrons glacés : battez le beurre au batteur électrique en pommade lisse puis incorporez la purée de marrons et l'alcool, tout en battant. Réservez au frais.

Mixez puis tamisez la poudre d'amande mélangée au sucre glace. Incorporez 2 blancs d'œufs, la purée de marrons et les colorants jusqu'à l'obtention d'une pâte homogène d'un beau brun dense.

Dans une casserole, portez l'eau et le sucre semoule à ébullition et faites chauffer jusqu'à 115 °C. Montez les 2 blancs restants en neige puis versez doucement le sirop bouillant, en battant, jusqu'à ce que la meringue soit complètement refroidie.

Mélangez ⅓ de la meringue à la pâte avec une spatule puis incorporez le reste de la meringue et macaronez la préparation à la corne.

Pochez des petites noix de pâte de 3 cm de diamètre à la poche à douille lisse de 8 mm sur les plaques à pâtisserie. Laissez sécher 30 minutes. Préchauffez le four à 150 °C et enfournez pour 12 à 14 minutes.

À la sortie du four, décollez les macarons refroidis, garnissez-en la moitié de crème aux marrons, parsemez de brisures de marrons glacés puis assemblez-les avec les coques restantes. Réservez au réfrigérateur 12 à 24 heures.

macarons à la violette

Pour **50 macarons**
Préparation **30 minutes**
Croûtage **30 à 40 minutes**
Cuisson **12 minutes**

115 g de **poudre d'amande**
200 g de **sucre glace**
120 g de **violettes
cristallisées**
grossièrement concassées
3 **blancs d'œufs**
25 g de **sucre en poudre**
1 sachet de **sucre vanillé**

Préparez le tant pour tant : mixez puis tamisez la poudre d'amande mélangée au sucre glace.

Montez les blancs d'œufs en neige en ajoutant le sucre en poudre et le sucre vanillé en pluie à mi-parcours, puis battez jusqu'à l'obtention d'une meringue ferme, lisse et brillante. Incorporez ensuite le tant pour tant à l'aide d'une spatule souple ou d'une corne, et macaronez la préparation jusqu'à ce qu'elle forme un ruban lisse et brillant.

Tapissez 2 plaques à pâtisserie de papier sulfurisé et disposez-y des petites noix de pâte à la poche à douille lisse. Parsemez les macarons d'éclats de violettes cristallisées puis laissez sécher 30 à 40 minutes. Préchauffez le four à 175 °C et enfournez pour 12 minutes, en baissant la température du four à 150 °C pendant les 5 dernières minutes.

À la sortie du four, faites glisser les feuilles de papier sulfurisé sur le plan de travail, décollez les macarons et posez-les sur une grille. Gardez-les dans une boîte hermétique.

Variante Préparez des macarons parisiens aux amandes (voir page 22), mais sans vanille, et en y ajoutant du colorant violet. Garnissez-les de ganache préparée avec 200 g de chocolat blanc mis à fondre au bain-marie et mélangé avec 10 cl de crème liquide et 2 cuillerées à soupe de sirop de violette. Assemblez-les deux par deux.

sabayon au marsala et amarettis

Pour **6 personnes**
Préparation **5 minutes**
Cuisson **10 minutes**

6 **jaunes d'œufs**
150 g de **sucre en poudre**
20 cl de **marsala blanc**
18 **amarettis** (voir page 24)
6 grappes de **groseilles**

Fouettez les jaunes d'œufs avec le sucre dans un bol jusqu'à ce que le mélange blanchisse et double de volume.

Posez le bol sur un bain-marie frémissant et versez doucement le marsala dans la préparation, tout en fouettant. Continuez de fouetter le mélange sans jamais faire bouillir pendant 10 minutes jusqu'à l'obtention d'une crème épaisse et mousseuse.

Versez le sabayon dans de petites coupes, décorez avec les grappes de groseilles, et dégustez avec des amarettis.

Pour le sabayon aux fruits rouges, répartissez 300 g de fruits rouges (mélange surgelé, framboises fraîches, cerises dénoyautées, fraises ou groseilles) dans les coupelles et versez le sabayon dessus.

crème aux pruneaux et macarons

Pour **6 personnes**
Préparation **20 minutes**
Cuisson **25 minutes**
Réfrigération **2 heures**
 au moins

300 g de **pruneaux**
 dénoyautés
4 c. à s. d'**armagnac**
250 g de **mascarpone**
2 sachets de **sucre vanillé**
20 cl de **crème fleurette
 entière** très froide
12 **macarons** au choix
 (**nature, vanille, chocolat**
 ou **café**) + brisures

Faites tremper 6 pruneaux dans 2 cuillerées à soupe d'armagnac. Réservez.

Faites cuire le reste des pruneaux couverts d'eau à niveau pendant 25 minutes, à feu très doux. Égouttez (réservez un peu d'eau de cuisson). Mixez les pruneaux avec le reste de l'armagnac, en ajoutant un peu d'eau de cuisson, jusqu'à l'obtention d'une crème onctueuse. Laissez refroidir.

Fouettez le mascarpone avec 1 sachet de sucre vanillé puis incorporez la crème aux pruneaux, tout en fouettant.

Montez la crème fleurette en chantilly au batteur, en ajoutant le second sachet de sucre vanillé en fin de processus. Incorporez la chantilly délicatement au mélange précédent.

Placez 1 macaron au fond de chaque verrine puis versez la crème aux pruneaux par-dessus et placez 2 heures au moins au réfrigérateur. Servez très frais après avoir ajouté des brisures de macarons, 1 pruneau à l'armagnac et 1 macaron à la surface de chaque dessert.

macarons aux bonbons

Pour **40 macarons**
Préparation **55 minutes**
Croûtage **30 minutes**
Cuisson **12 à 14 minutes**

150 g de **poudre d'amande**
150 g de **sucre glace**
4 **blancs d'œufs**
colorants rouge et **rose**
6 cl d'**eau**
150 g de **sucre semoule**

**Pour la ganache
aux Malabars :**
13 cl de **crème liquide**
50 g de **Malabars**
125 g de **chocolat blanc
à pâtisser** haché

**Pour la ganache
aux fraises Tagada :**
10 cl de **crème liquide**
50 g de **fraises Tagada**
100 g de **chocolat blanc
à pâtisser** haché

Préparez les 2 ganaches : dans une casserole, faites chauffer la crème avec les Malabars et, dans une autre, la crème avec les fraises Tagada, en remuant. Retirez du feu, incorporez le chocolat et laissez refroidir.

Mixez puis tamisez 75 g de poudre d'amande mélangée à 75 g de sucre glace. Incorporez 1 blanc d'œuf et du colorant rouge.

Dans une casserole, portez 3 cl d'eau et 75 g de sucre semoule à ébullition et faites chauffer jusqu'à 115 °C. Montez 1 blanc d'œuf en neige puis versez doucement le sirop bouillant, en battant, jusqu'à ce que la meringue soit complètement refroidie.

Mélangez 1/3 de la meringue à la pâte d'amande avec une spatule puis incorporez le reste de la meringue et macaronez la préparation à la corne.

Pochez des petites noix de pâte de 3 cm de diamètre à la poche à douille lisse de 8 mm sur une plaque à pâtisserie. Laissez sécher 30 minutes.

Préparez les macarons roses selon la même méthode, avec du colorant rose en petite dose. Préchauffez le four à 150 °C et enfournez pour 12 à 14 minutes.

À la sortie du four, décollez les macarons refroidis, garnissez-en la moitié de 2 ganaches puis assemblez-les avec les coques restantes. Réservez au réfrigérateur 12 à 24 heures.

mousse choco aux amarettis

Pour **4 à 6 personnes**
Préparation **40 minutes**
Cuisson **7 à 10 minutes**
Réfrigération **2 heures**

2 **blancs d'œufs**
½ c. à c. de **jus de citron**
150 g de **sucre en poudre**
200 g de **poudre d'amande**
2 gouttes d'**extrait
 d'amande amère**
3 c. à s. de **grains de sucre**

**Pour la mousse
 au chocolat :**
225 g de **chocolat noir
 à pâtisser**
50 g de **beurre doux**
1 c. à s. bombée de **cacao
 amer** en poudre
5 **œufs**, blancs et jaunes
 séparés
75 g de **sucre en poudre**
1 pincée de **sel**

Préparez les amarettis (voir page 24) en les saupoudrant délicatement de grains de sucre à la place du sucre glace. Gardez-les dans une boîte hermétique.

Préparez la mousse au chocolat : faites fondre le chocolat au bain-marie avec le beurre et le cacao. Hors du feu, incorporez les jaunes d'œufs, l'un après l'autre, en fouettant vivement, puis ajoutez le sucre. Montez les blancs en neige avec 1 pincée de sel puis incorporez-les délicatement à la préparation au chocolat. Couvrez de film alimentaire et réservez 2 heures au moins au réfrigérateur.

Servez dans des verrines, en répartissant la mousse au chocolat en grosses quenelles intercalées d'amarettis.

Note La mousse au chocolat se conserve 2 jours maximum au réfrigérateur.

sucettes de macarons choco-caramel

Pour **40 macarons**
Préparation **50 minutes**
Croûtage **30 minutes**
Cuisson **12 à 14 minutes**

150 g de **poudre d'amande**
150 g de **sucre glace**
4 **blancs d'œufs**
1 petite c. à c. d'**arôme
naturel de caramel**
colorant caramel
6 cl d'**eau**
150 g de **sucre semoule**

Pour la ganache
choco-caramel :
100 g de **sucre semoule**
25 g de **beurre doux**
12,5 cl de **crème liquide
entière**
200 g de **chocolat noir
à pâtisser** haché

Préparez la ganache choco-caramel : dans une poêle, faites chauffer le sucre à feu doux jusqu'à l'obtention d'un caramel blond, puis ajoutez le beurre et la crème liquide, en remuant. Versez le caramel obtenu sur le chocolat et mélangez jusqu'à l'obtention d'une ganache lisse. Placez au réfrigérateur.

Mixez puis tamisez la poudre d'amande mélangée au sucre glace. Incorporez 2 blancs d'œufs, l'arôme naturel de caramel et du colorant.

Dans une casserole, portez l'eau et le sucre semoule à ébullition et faites chauffer jusqu'à l'obtention d'un sirop à 115 °C. Montez les 2 blancs restants en neige puis versez doucement le sirop bouillant, en battant, jusqu'à ce que la meringue soit complètement refroidie.

Mélangez 1/3 de la meringue à la pâte d'amande avec une spatule puis incorporez le reste de la meringue et macaronez la préparation à la corne.

Pochez des petites noix de pâte de 3 cm de diamètre sur 2 plaques. Laissez sécher 30 minutes. Préchauffez le four à 150 °C et enfournez pour 12 à 14 minutes.

À la sortie du four, décollez les macarons refroidis, garnissez-en la moitié de ganache puis assemblez-les avec les coques restantes. Piquez des bâtonnets à sucettes ou des minibrochettes en bois dans la ganache et réservez au réfrigérateur 12 à 24 heures.

petites crèmes macarons-chocolat

Pour **6 personnes**
Préparation **5 minutes**
Cuisson **30 secondes**
Réfrigération **2 heures**
  au moins

100 g de **chocolat noir
  à pâtisser**
50 cl de **lait d'amande**
2 g d'**agar-agar**
6 **macarons au chocolat**
  (voir page 28) + brisures

Faites fondre le chocolat dans le lait d'amande puis laissez tiédir. Ajoutez ensuite l'agar-agar, mélangez, portez à ébullition et laissez frémir 30 secondes.

Versez la crème dans de jolis petits pots et laissez refroidir avant de les placer 2 heures au réfrigérateur.

Au moment de servir, déposez un beau macaron au chocolat au centre de chaque dessert et parsemez de brisures de macarons. Servez bien frais.

macarons de Noël caramel-foie gras, cacao & truffes

Pour **20 macarons
au foie gras**
Préparation **50 minutes**
Croûtage **30 minutes**
Cuisson **12 à 14 minutes**
Garniture **2 à 3 heures
à l'avance**

75 g de **poudre d'amande**
75 g de **sucre glace**
2 **blancs d'œufs**
½ c. à c. d'**arôme naturel
de caramel**
colorant caramel
3 cl d'**eau**
75 g de **sucre semoule**

Pour la crème au foie gras :
200 g de **foie gras** cuit
9 cl de **crème liquide**
bien froide
1 pincée de **sel**
mélange 5-baies au moulin

Mixez puis tamisez la poudre d'amande mélangée au sucre glace. Incorporez 1 blanc d'œuf, l'arôme de caramel et du colorant.

Dans une casserole, portez l'eau et le sucre semoule à ébullition, et faites chauffer jusqu'à 115 °C. Montez le blanc restant en neige puis versez doucement le sirop bouillant, en battant, jusqu'à ce que la meringue soit complètement refroidie.

Mélangez ⅓ de la meringue à la pâte d'amande avec une spatule puis incorporez le reste de la meringue et macaronez la préparation à la corne.

Pochez des petites noix de pâte de 3 cm de diamètre à la poche à douille lisse de 8 mm sur les plaques à pâtisserie. Laissez sécher 30 minutes. Préchauffez le four à 150 °C et enfournez pour 12 à 14 minutes.

Pour la crème au foie gras, mixez tous les ingrédients.

Garnissez la moitié des macarons de crème au foie gras puis assemblez-les avec les coques restantes. Réservez 2 à 3 heures au réfrigérateur avant de déguster.

Pour les macarons cacao & truffes, reportez-vous page 104 pour le mascarpone à la truffe blanche, et page 28 pour les coques au chocolat.

classiques
version mini

florentins

Pour **16 carrés**
Préparation **20 minutes**
Cuisson **5 minutes**

20 g de **beurre**
   pour le moule
100 g de **crème double**
95 g de **cassonade**
1 sachet de **sucre vanillé**
30 g de **miel d'oranger**
25 g de **raisins secs blonds**
125 g de **fruits confits**
   (orange, citron, cédrat,
   gingembre, cerises…)
   coupés en petits cubes
60 g d'**amandes effilées**
40 g de **pistaches vertes**
   décortiquées (non salées)
200 g de **chocolat noir**
   à pâtisser (ou au lait)

Préchauffez le four à 200 °C. Beurrez le fond
et les bords d'un moule à gâteau carré de 24 cm
de côté puis chemisez-le de papier sulfurisé.

Faites chauffer la crème, la cassonade, le sucre
vanillé et le miel à feu doux dans une casserole à fond
épais jusqu'à ce que le mélange atteigne 118 °C.
Retirez du feu, ajoutez les raisins, les fruits confits,
les amandes et les pistaches puis mélangez. Versez
le mélange dans le moule et enfournez pour 5 minutes
jusqu'à ce que le dessus commence à dorer.

À la sortie du four, tracez 16 carrés au couteau
dans la pâte encore tendre puis laissez refroidir.

Faites fondre le chocolat au bain-marie puis étalez-le
sur la plaque de florentin et réservez jusqu'à parfait
refroidissement.

Lorsque le chocolat est solidifié, démoulez la plaque
en la retournant et coupez les florentins en suivant
les marques. À conserver au frais, dans une boîte
hermétique.

Pour des florentins ronds, coulez la pâte puis
le chocolat dans des moules à tartelette antiadhésifs
ou en silicone, ou encore dans des cercles en métal
posés sur une plaque à pâtisserie chemisée de papier
sulfurisé. Remplacez les pistaches par des noisettes
concassées ou des pignons de pin.

minibabas au rhum

Pour **36 minibabas**
Préparation **20 minutes**
Repos **3 x 20 minutes**
Cuisson **15 minutes**

Pour la pâte à babas :
16 g de **levure fraîche**
80 g + 100 g de **farine**
  tamisée
8 cl d'**eau tiède**
15 g de **sucre en poudre**
4 g de **sel fin**
2 **œufs** moyens
50 g de **beurre** fondu

Pour le sirop :
20 cl d'**eau**
100 g de **sucre**
3 cl de **rhum**

Pour la chantilly :
20 cl de **crème liquide**
40 g de **sucre**
½ c. à c. d'**extrait**
  de vanille

Pour la finition :
100 g de **fruits rouges**
  (groseilles, framboises…)

Préparez le levain : dans un petit saladier, diluez la levure fraîche dans l'eau tiède puis incorporez 80 g de farine. Versez ensuite le reste de la farine par-dessus sans mélanger. Couvrez avec un torchon humide et laissez reposer 20 minutes.

Incorporez progressivement à la pâte le sucre, le sel puis les œufs et enfin le beurre. Mélangez bien jusqu'à l'obtention d'une pâte homogène. Couvrez avec un torchon humide et laissez reposer 20 minutes.

Posez les plaques d'empreintes à minibabas sur la plaque du four. Versez la pâte à babas dans une poche puis remplissez les empreintes à la moitié de leur contenance. Couvrez avec un torchon humide et laissez gonfler 20 minutes jusqu'à ce qu'ils aient doublé de volume. Préchauffez le four à 180 °C. Enfournez pour 15 minutes au milieu du four.

Préparez le sirop : faites frémir l'eau et le sucre 2 minutes 30 puis retirez du feu, ajoutez le rhum et laissez tiédir.

Démoulez les minibabas, plongez-les dans le sirop et laissez-les s'imbiber 2 à 3 minutes avant de les égoutter sur une grille.

Montez la crème très froide en chantilly avec le sucre et à l'extrait de vanille puis garnissez les babas de chantilly à la poche à douille cannelée, ajoutez quelques fruits rouges sur le dessus et dégustez.

tartelettes aux fraises

Pour **30 minitartelettes**
Préparation **20 minutes**
Repos **1 heure**
Cuisson **10 à 12 minutes**

90 petites **fraises** parfumées
   (mara des bois, gariguette,
   plougastel…)
sucre glace (facultatif)

Pour la pâte sablée :
150 g de **farine** + 1 poignée
   pour le plan de travail
1 pincée de **levure**
   chimique
75 g de **sucre en poudre**
75 g de **beurre** ramolli
1 **jaune d'œuf**
1 c. à s. d'**eau**

Pour la crème pâtissière :
50 cl de **lait entier**
1 **gousse de vanille**
6 **jaunes d'œufs**
100 g de **sucre en poudre**
40 g de **Maïzena**
50 g de **beurre** coupé
   en petits morceaux

Préparez la pâte sablée comme indiqué page 166
et laissez-la reposer 1 heure au moins.

Préparez la crème pâtissière : faites bouillir le lait
avec la gousse de vanille grattée. Battez les jaunes
d'œufs, le sucre et la Maïzena dans un saladier puis
versez le lait bouillant (jetez la gousse), en fouettant
vivement. Reversez le mélange dans la casserole et
continuez de remuer à feu doux jusqu'à ébullition, puis
poursuivez la cuisson 30 secondes sans cesser de
remuer. Retirez du feu et incorporez le beurre par petits
morceaux. Versez dans un large plat, couvrez de film
alimentaire au contact
et placez au frais jusqu'à parfait refroidissement.

Préchauffez le four à 180 °C.

Étalez la pâte au rouleau sur 2 mm d'épaisseur,
piquez-la à la fourchette et détaillez-la à l'emporte-
pièce en disques de 6 cm de diamètre. Foncez-les
dans des empreintes à minitartelettes en silicone.

Enfournez sur la grille du four pour 10 à 12 minutes.
Démoulez immédiatement à la sortie du four et laissez
refroidir les fonds de tartelette sur une grille.

Garnissez les tartelettes de crème pâtissière, ajoutez
les fraises lavées, séchées puis équeutées.
Saupoudrez de sucre glace.

minisavarins aux griottes

Pour **36 minisavarins**
Préparation **20 minutes**
Repos **3 x 20 minutes**
Cuisson **15 minutes**

Pour la pâte à savarin :
16 g de **levure fraîche**
8 cl d'**eau** tiède
80 g + 100 g de **farine**
   tamisée
16 g de **sucre en poudre**
4 g de **sel fin**
2 **œufs** moyens
50 g de **beurre** fondu

Pour le sirop :
20 cl d'**eau**
100 g de **sucre**

Pour la chantilly :
20 cl de **crème liquide**
   très froide
40 g de **sucre**
½ c. à c. d'**extrait de vanille**

Pour la finition :
150 g de **gelée de cerises**
griottes au sirop
poudre de cacao

Diluez la levure dans l'eau tiède puis incorporez 80 g de farine. Versez ensuite le reste de farine par-dessus sans mélanger. Couvrez avec un torchon humide et laissez reposer 20 minutes.

Incorporez progressivement à la pâte le sucre, le sel puis les œufs et le beurre. Quand la pâte est homogène, couvrez avec un torchon humide et laissez reposer 20 minutes.

Posez les plaques d'empreintes à minisavarins sur la plaque du four. Versez la pâte dans une poche puis remplissez les empreintes à moitié. Couvrez avec un torchon humide et laissez lever 20 minutes.

Préchauffez le four à 180 °C. Enfournez pour 15 minutes.

Faites frémir l'eau et le sucre pendant 2 minutes 30 puis retirez du feu et laissez tiédir. Démoulez les savarins, plongez-les dans le sirop et laissez-les s'imbiber 2 à 3 minutes. Répartissez-les dans de petites caissettes ou posez-les sur des petites assiettes.

Faites fondre la gelée de cerises à feu doux dans une petite casserole puis versez-la sur les savarins et laissez refroidir.

Montez la crème en chantilly avec le sucre et l'extrait de vanille puis garnissez-en les savarins à la poche à douille cannelée, ajoutez 1 cerise par-dessus, saupoudrez de cacao à l'aide d'une passoire fine.

miniclafoutis aux cerises

Pour **8 petits ramequins**
Préparation **15 minutes**
Cuisson **25 à 30 minutes**

600 g de grosses **cerises
noires**
1 **citron** non traité
25 g de **beurre**
+ 15 g pour les ramequins
3 **œufs**
60 g de **sucre en poudre**
+ 3 c. à s. pour
les ramequins
2 sachets de **sucre vanillé**
60 g de **farine**
20 cl de **lait**
40 g d'**amandes effilées**
sucre glace

Lavez les cerises, séchez-les puis équeutez-les
et dénoyautez-les si nécessaire. Brossez le citron
sous l'eau chaude et râpez-en le zeste à la grille fine.

Beurrez généreusement les ramequins, saupoudrez-les
de sucre jusqu'au haut des parois et répartissez-y
les cerises sur 2 couches.

Faites chauffer le beurre dans une petite casserole
jusqu'à ce qu'il prenne une jolie couleur noisette.

Mixez dans un robot les œufs, le sucre, le sucre
vanillé, la farine, le lait et les zestes de citron. Ajoutez
le beurre noisette et mixez de nouveau 1 minute.

Versez la pâte sur les cerises, parsemez d'amandes
effilées, saupoudrez de sucre glace et glissez les
ramequins au four préchauffé à 180 °C pour
25 à 30 minutes.

Saupoudrez de nouveau les clafoutis de sucre glace
au moment de les servir. Servez tiède ou à température
ambiante.

Note Dénoyautez les cerises si vous partagez
les clafoutis avec les enfants. Ne les dénoyautez pas
si vous voulez préserver le goût original et le charme
authentique de ce dessert originaire du Limousin.
Pour servir démoulés, choisissez des petits moules
individuels en silicone.

tartelettes Tatin

Pour **6 tartelettes**
Préparation **25 minutes**
Cuisson **1 h 10**
Repos **1 heure + 3 heures**

6 **pommes** tenant bien
  à la cuisson (melrose,
  reine des reinettes, ariane)
200 g de **sucre**
115 g de **beurre demi-sel**
  ou **doux** (selon vos goûts)
2 rouleaux de **pâte**
  feuilletée

Pelez les pommes, coupez-les en quatre, épépinez-les et découpez-les en lamelles épaisses.

Faites chauffer le sucre à feu moyen jusqu'à ce qu'il prenne une jolie couleur caramel ambré puis retirez du feu et incorporez le beurre.

Versez le caramel au fond des moules à tartelette puis rangez les lamelles de pommes dessus, en rosace, en les faisant se chevaucher. Faites cuire 35 à 40 minutes environ au four préchauffé à 180 °C jusqu'à ce que les pommes soient bien fondantes puis laissez refroidir.

Découpez 6 disques de pâte feuilletée au diamètre des moules, posez-les sur les pommes caramélisées refroidies et enfoncez légèrement la pâte le long des parois du moule.

Enfournez les tartelettes pour 30 minutes au four préchauffé à 180 °C jusqu'à ce que la pâte soit bien dorée. Laissez les tartelettes reposer 3 heures à température ambiante.

Pour servir, réchauffez les tartelettes 5 minutes au four à 180 °C puis démoulez-les en les retournant sur une petite assiette. Dégustez-les tièdes.

cannelés bordelais au rhum

Pour **40 minicannelés**
Préparation **15 minutes**
Repos **12 à 24 heures**
Cuisson **35 minutes**

1 **gousse de vanille**
25 cl de **lait entier**
   à température ambiante
20 g de **beurre**
   + 20 g pour les moules
1 **œuf** + 1 **jaune d'œuf**
125 g de **sucre**
65 g de **farine**
1 c. à s. de **rhum ambré**

La veille, fendez la gousse de vanille dans la longueur, grattez-la avec un petit couteau. Mettez les graines et la gousse dans une casserole, ajoutez le lait, portez à ébullition puis retirez du feu, couvrez et laissez infuser jusqu'à parfait refroidissement.

Faites fondre le beurre puis laissez-le refroidir. Fouettez l'œuf et le jaune d'œuf dans un saladier avec le sucre puis ajoutez la farine jusqu'à l'obtention d'une pâte lisse. Incorporez alors le beurre fondu, le lait (jetez la gousse de vanille) et le rhum. Couvrez et réfrigérez 12 à 24 heures.

Le jour même, préchauffez le four à 210 °C, position traditionnelle. Beurrez généreusement l'intérieur des petits moules à cannelé de 3,5 cm de diamètre au pinceau et entreposez-les 5 minutes au congélateur puis rangez-les sur une grille.

Sortez la pâte du réfrigérateur, remuez puis remplissez les moules aux ²/₃ de leur contenance. Glissez la grille au plus bas du four et faites cuire 35 minutes, sans l'ouvrir, jusqu'à ce que les cannelés soient brun caramel.

Démoulez à chaud et laissez tiédir sur une grille. Dégustez à température ambiante.

Note Les moules à cannelés traditionnels sont tout petits et en cuivre. Mais on peut utiliser aussi des moules en silicone de petit format. Beurrez-les, comme les moules traditionnels, avant cuisson.

financiers à la vanille

Pour **20 financiers**
Préparation **15 minutes**
Repos **1 heure**
Cuisson **10 à 12 minutes**

1 **gousse de vanille**
170 g de **beurre**
1 c. à c. d'**extrait naturel
de vanille**
120 g de **poudre d'amande**
145 g de **sucre en poudre**
45 g de **farine**
4 **blancs d'œufs**
1 pincée de **sel fin**
1 c. à s. d'**amandes effilées**

Fendez la gousse de vanille en deux et grattez-la au plat d'un couteau. Mettez les graines de vanille dans une petite casserole avec le beurre et l'extrait de vanille. Faites fondre à feu doux.

Mélangez la poudre d'amande, le sucre et la farine. Montez les blancs d'œufs en neige ferme avec 1 pincée de sel puis incorporez-les délicatement à la préparation sèche. Ajoutez ensuite le beurre fondu additionné de vanille, en remuant à la spatule souple. Couvrez de film alimentaire et laissez reposer la pâte 1 heure au réfrigérateur. Elle va devenir ferme.

Préchauffez le four à 220 °C, en sortant la grille. Posez les moules ou les empreintes en silicone sur la grille.

Disposez ½ cuillerée à soupe de pâte bien froide dans chaque moule sans l'écraser ni la tasser et parsemez d'amandes effilées.

Enfournez la grille au bas du four pour 10 minutes. Les financiers sont cuits lorsqu'ils commencent à prendre une jolie couleur légèrement dorée sur les bords. Démoulez-les délicatement sur une grille 5 minutes après la sortie du four.

petites meringues roses

Pour **50 minimeringues**
Préparation **15 minutes**
Cuisson **1 h 15**

4 **blancs d'œufs**
240 g de **sucre en poudre**
quelques gouttes
    de **colorant rouge**

Montez les blancs d'œufs en neige au batteur électrique
ou au robot en incorporant le sucre petit à petit. Ajoutez
le colorant à mi-parcours et continuez de battre le mélange
jusqu'à la formation d'une meringue ferme et brillante
qui doit tenir solidement sur les branches du fouet.

Mettez la meringue dans une poche munie d'une
douille cannelée puis disposez-la en jolies noisettes
sur une plaque chemisée de papier sulfurisé. Glissez
la plaque au milieu du four et faites cuire les meringues
pendant 1 h 15 à 100 °C puis laissez-les dans
le four jusqu'à refroidissement.

Gardez les meringues à l'abri de l'humidité.

Note Si vous utilisez un four traditionnel, augmentez
la température à 150 °C et gardez la porte du four
entrouverte pendant la cuisson.

financiers aux amandes

Pour **20 financiers**
Préparation **15 minutes**
Repos **1 heure**
Cuisson **10 à 12 minutes**

170 g de **beurre**
120 g de **poudre d'amande**
140 g de **sucre en poudre**
1 sachet de **sucre vanillé**
45 g de **farine**
4 **blancs d'œufs**
1 pincée de **sel fin**
2 c. à s. d'**amandes effilées**

Faites fondre le beurre dans une petite casserole à feu doux. Mélangez la poudre d'amande, le sucre, le sucre vanillé et la farine. Montez les blancs d'œufs en neige ferme avec 1 pincée de sel puis incorporez-les à la préparation sèche. Ajoutez ensuite le beurre fondu en remuant à la spatule souple. Couvrez le saladier de film alimentaire et laissez reposer la pâte 1 heure au réfrigérateur. Elle va devenir ferme.

Préchauffez le four à 220 °C, en sortant la grille. Posez les moules ou les empreintes sur la grille.

Torréfiez les amandes effilées à sec dans une poêle à feu vif jusqu'à ce qu'elles commencent à colorer légèrement puis laissez-les refroidir.

Disposez 1 cuillerée à soupe de pâte bien froide dans chaque moule sans l'écraser ni la tasser et parsemez d'éclats d'amandes effilées.

Glissez la grille au bas du four pour 10 à 12 minutes, selon la taille des moules. Les financiers sont cuits lorsqu'ils commencent à prendre une jolie couleur légèrement dorée sur les bords. Démoulez-les délicatement sur une grille 5 minutes après la sortie du four.

Pour une plaque en silicone de 42 minifinanciers, ramenez les proportions à 3 blancs d'œufs et la cuisson à 9 minutes pour un four à chaleur pulsée, préchauffé à 220 °C.

tartelettes au citron

Pour **6 à 8 personnes**
Préparation **25 minutes**
Repos **1 heure**
Cuisson **10 à 15 minutes**

Pour la pâte sucrée :
le **zeste** finement râpé
   de ½ **citron** non traité
150 g de **farine** + 1 poignée
   pour le plan de travail
1 pincée de **levure**
   chimique
75 g de **sucre en poudre**
75 g de **beurre** ramolli
1 **jaune d'œuf**
1 c. à s. d'**eau**

Pour la garniture :
50 g de **chocolat à pâtisser**
2 **œufs**
80 g de **sucre glace**
le **jus** et les **zestes**
   de 2 **citrons** non traités
40 g de **beurre doux**
   en pommade
quelques **fraises**
sucre glace

Mélangez le zeste de citron avec la farine, la levure et le sucre dans une large terrine puis ajoutez le beurre et mélangez avec les mains jusqu'à l'obtention d'une pâte sableuse. Creusez un puits au centre, ajoutez l'œuf et l'eau froide et mélangez rapidement. Formez une boule avec la pâte en l'écrasant du bout des doigts. Formez un beau pain rectangulaire, enveloppez-le de film alimentaire et placez-le 1 heure au réfrigérateur.

Préchauffez le four à 180 °C.

Étalez finement la pâte au rouleau et découpez des disques à la taille des moules à tartelette. Foncez la pâte, piquez le fond à la fourchette puis enfournez sur la grille du four pour 10 à 15 minutes. Démoulez-les à la sortie du four et laissez-les refroidir sur une grille.

Faites fondre le chocolat, badigeonnez-en le fond des tartelettes au pinceau et laissez sécher.

Dans un saladier, fouettez les œufs et le sucre glace puis incorporez les zestes et le jus de citron. Posez le saladier sur un bain-marie, ajoutez le beurre et continuez de battre jusqu'au premier frémissement. Retirez du feu et plongez le fond du récipient dans de l'eau glacée pour arrêter la cuisson.

Garnissez les fonds des tartelettes de crème au citron à la poche à douille, ajoutez ½ fraise au milieu et laissez refroidir. Saupoudrez les tartelettes de sucre glace au moment de servir.

minicharlottes aux fraises

Pour 8 à 12 charlottes
selon la taille des cercles
Préparation **30 minutes**
Réfrigération **2 heures**
au moins

500 g de **petites fraises**
parfumées et bien mûres
20 cl de **crème liquide**
180 g de **sucre en poudre**
+ 2 c. à s.
1 sachet de **sucre vanillé**
4 g d'**agar-agar**
2 **blancs d'œufs**
4 c. à s. de **sirop de fraise**
15 cl d'**eau**
28 **boudoirs**

Posez les cercles à pâtisserie de 5 à 10 cm de diamètre sur une plaque chemisée de papier sulfurisé.

Mixez 125 g de fraises avec la crème liquide. Versez le mélange dans une casserole avec 180 g de sucre, le sucre vanillé et l'agar-agar. Mélangez sur feu doux et portez à ébullition. Laissez bouillir pendant 30 secondes puis retirez du feu.

Montez les blancs d'œufs en neige ferme en ajoutant 2 cuillerées à soupe de sucre à mi-parcours.

Mixez finement 125 g de fraise équeutées puis ajoutez-les au mélange à l'agar-agar en fouettant vivement. Incorporez ensuite les blancs d'œufs montés, délicatement, à la spatule.

Versez le sirop de fraises et l'eau dans une assiette et trempez-y les boudoirs coupés en deux. Disposez-les contre les parois des cercles à pâtisserie, côté bombé vers l'extérieur, puis versez la mousse au centre. Placez 2 heures au moins au réfrigérateur.

Disposez les minicharlottes bien froides sur de petites assiettes à l'aide d'une spatule, retirez délicatement les cercles à pâtisserie. Ajoutez le reste des fraises coupées en lamelles ou entières sur les charlottes et autour puis saupoudrez de sucre glace.

Variante Remplacez les boudoirs par des biscuits roses de Reims et les fraises par des framboises.

financiers à la pistache

Pour **20 financiers**
Préparation **15 minutes**
Repos **1 heure**
Cuisson **10 à 12 minutes**

50 g de **pistaches vertes**
   décortiquées (non salées)
70 g de **poudre d'amande**
140 g de **sucre en poudre**
1 sachet de **sucre vanillé**
45 g de **farine**
170 g de **beurre**
4 **blancs d'œufs**
1 pincée de **sel fin**

Torréfiez les pistaches 10 minutes sur la plaque du four préchauffé à 150 °C puis mixez-les finement.

Mélangez la poudre de pistache, la poudre d'amande, les 2 sucres et la farine. Faites fondre le beurre dans une petite casserole posée sur feu doux. Montez les blancs d'œufs en neige ferme avec 1 pincée de sel puis incorporez-les à la préparation sèche. Ajoutez ensuite le beurre fondu en remuant à la spatule souple. Couvrez le saladier de film alimentaire et laissez reposer la pâte 1 heure au réfrigérateur. Elle va devenir ferme.

Préchauffez le four à 220 °C, en sortant la grille. Posez les moules ou les empreintes en silicone sur la grille.

Disposez 1 cuillerée à soupe de pâte bien froide dans chaque moule sans l'écraser ni la tasser.

Glissez la grille au bas du four pour 10 à 12 minutes. Les financiers sont cuits lorsqu'ils commencent à prendre une jolie couleur légèrement dorée sur les bords. Démoulez-les délicatement sur une grille 5 minutes après la sortie du four.

Pour une couleur plus soutenue, ajoutez quelques gouttes de colorant vert à la pâte. Parsemez la pâte d'éclats de pistache avant cuisson.

biscuits sablés étoilés

Pour **50 à 60 biscuits**
Préparation **20 minutes**
Repos **1 heure**
Cuisson **25 minutes**

250 g de **farine** + 1 poignée
  pour le plan de travail
1 pincée de **sel fin**
1 pincée de **bicarbonate
  de soude**
1 c. à c. de **cannelle
  moulue** (facultatif)
100 g de **sucre en poudre**
1 c. à s. de **vanille liquide**
40 g de **crème fraîche
  entière**
120 g de **beurre doux**
  ramolli coupé en petits dés

Pour le fondant :
1 **blanc d'œuf**
1 c. à c. de **jus de citron**
175 à 200 g de **sucre glace**

Mélangez la farine, le sel, le bicarbonate de soude, la cannelle et le sucre. Ajoutez la vanille liquide, la crème et le beurre. Travaillez la pâte du bout des doigts puis formez une boule, aplatissez-la et enveloppez-la dans un film alimentaire. Placez 1 heure au réfrigérateur.

Ce temps passé, étalez la pâte au rouleau sur 4 mm d'épaisseur environ sur le plan de travail fariné. Découpez des étoiles à l'aide d'un emporte-pièce.

Déposez les petits sablés sur une plaque à pâtisserie et glissez-la sur la grille du four préchauffé à 180 °C. Faites cuire 25 minutes environ jusqu'à très légère coloration.

Préparez le fondant : mélangez le blanc d'œuf avec le jus de citron et 175 g de sucre glace puis ajoutez progressivement le reste, en fonction de la texture souhaitée. Étalez le fondant sur les étoiles et laissez durcir. Gardez les biscuits dans une boîte hermétique.

Pour varier les parfums, remplacez la cannelle par de la cardamome ou du mélange 4-épices ; ajoutez à la pâte le zeste finement râpé de 1 citron ou de 1 orange. Remplacez le glaçage au fondant par du chocolat blanc, au lait ou noir fondu, ou saupoudrez les sablés de sucre glace à la sortie du four.

gourmandises
pur chocolat

barquettes de chocolat noir aux framboises

Pour **20 barquettes**
Préparation **10 minutes**
Refroidissement **2 à 3 heures**

400 g de **chocolat noir
à pâtisser**
20 **framboises**

Faites fondre la moitié du chocolat haché au bain-marie en remuant à la spatule puis retirez du feu et incorporez le reste du chocolat haché.

Versez le chocolat sur 0,5 cm d'épaisseur dans des minicaissettes en papier, enfoncez 1 framboise au centre et laissez refroidir 2 à 3 heures au frais en évitant le réfrigérateur, si possible. Démoulez lorsque le chocolat est parfaitement solidifié.

Variante Remplacez les framboises par des petites fraises, des abricots secs, des fruits confits ou des quartiers de clémentines caramélisés. Vous pouvez aussi utiliser du chocolat blanc ou du chocolat au lait.

chococubes

Pour **25 cubes**
Préparation **10 minutes**
Réfrigération **6 heures**
    au moins

400 g de **chocolat noir**
    à pâtisser
220 g de **beurre**
110 g de **caramel liquide**
50 g de **chocolat**
    en poudre instantané
400 g de **petits-beurre**
80 g de **poudre de noisette**
80 g de **cerneaux de noix**
    grossièrement concassés
2 c. à s. de **crème liquide**

Pour décorer :
dragées ou **Smarties**
    ou **fruits confits** ou **fleurs**
    cristallisées

Tapissez un moule carré ou rectangulaire de papier sulfurisé ou de film alimentaire pour faciliter le démoulage.

Faites fondre la moitié du chocolat et 200 g de beurre au bain-marie puis mélangez avec le caramel et le chocolat en poudre jusqu'à l'obtention d'un mélange lisse et homogène.

Réduisez les petits-beurre en miettes et mélangez-les à la poudre de noisette et aux noix. Incorporez-les à la préparation au chocolat. Versez la pâte obtenue dans le moule, tassez et égalisez la surface.

Faites fondre le reste du chocolat au bain-marie avec la crème liquide puis retirez du feu et incorporez 20 g de beurre en remuant à la spatule. Versez ce mélange sur la pâte et placez le gâteau 6 heures, au moins, au réfrigérateur.

Pour servir, coupez le gâteau en petits cubes et décorez avec des dragées, des Smarties, des fruits confits ou des fleurs cristallisées.

Variante encore plus gourmande Accompagnez de caramel au beurre salé ou d'un coulis de framboises.

bouchées ananas-chocolat

Pour **20 bouchées**
Préparation **30 minutes**
Réfrigération **1 heure**

1 **ananas**
1 **citron**
250 g de **sucre**
10 cl d'**eau**
1 pincée de **poivre
de Sichuan** moulu

Pour la ganache :
10 cl de **crème liquide**
100 g de **chocolat noir
à pâtisser** râpé
30 g de **beurre**
à température ambiante

Préparez la ganache : versez la crème liquide juste frémissante sur le chocolat. Laissez le chocolat fondre puis mélangez très doucement jusqu'à l'obtention d'un mélange onctueux. La ganache aura déjà refroidi. Incorporez alors le beurre puis couvrez et réservez 1 heure au réfrigérateur.

Pelez l'ananas entier et découpez-le en cubes de 2 cm de côté en éliminant le cœur dur et fibreux. Citronnez les cubes d'ananas et réservez au frais.

Mélangez le sucre, l'eau, quelques gouttes de jus de citron et le poivre de Sichuan moulu dans une casserole à fond épais. Faites cuire le sirop à feu doux à 150 °C jusqu'à l'obtention d'un caramel blond. Retirez immédiatement du feu et trempez les cubes d'ananas, piqués au bout d'une pique en bois, dans le caramel. Puis posez-les sur une plaque antiadhésive et laissez refroidir.

Lorsque le caramel a durci, disposez les cubes d'ananas dans de petites caissettes et ajoutez une noisette de ganache au chocolat à la poche à douille cannelée.

financiers chocolat-amandes

Pour **20 financiers**
Préparation **15 minutes**
Repos **1 heure**
Cuisson **10 à 12 minutes**

170 g de **beurre**
120 g de **poudre d'amande**
140 g de **sucre en poudre**
1 sachet de **sucre vanillé**
45 g de **farine**
4 **blancs d'œufs**
1 pincée de **sel fin**
2 c. à s. d'**amandes effilées**
200 g de **chocolat noir**
   à pâtisser

Faites fondre le beurre dans une petite casserole à feu doux. Mélangez la poudre d'amande, le sucre, le sucre vanillé et la farine.

Montez les blancs d'œufs en neige ferme avec 1 pincée de sel puis incorporez-les à la préparation sèche. Ajoutez le beurre fondu en remuant à la spatule souple. Couvrez le saladier de film alimentaire et laissez reposer la pâte 1 heure au réfrigérateur. Elle va devenir ferme.

Préchauffez le four à 220 °C, en sortant la grille. Posez les moules ou les empreintes sur la grille.

Disposez 1 cuillerée à soupe de pâte bien froide dans chaque moule sans l'écraser ni la tasser.

Glissez la grille au bas du four pour 10 à 12 minutes. Les financiers sont cuits lorsqu'ils commencent à prendre une jolie couleur légèrement dorée sur les bords. Démoulez-les sur une grille 5 minutes après la sortie du four.

Torréfiez les amandes à sec dans une poêle posée sur feu vif jusqu'à ce qu'elles commencent à colorer légèrement puis laissez refroidir.

Faites fondre le chocolat au bain-marie, répartissez-le sur les financiers, ajoutez les amandes et laissez sécher.

Pour une plaque en silicone de 42 minifinanciers, ramenez les proportions à 3 blancs d'œufs et la cuisson à 9 minutes dans un four préchauffé à 220 °C.

minitartelettes au chocolat

Pour 30 minitartelettes
Préparation **20 minutes**
Repos **1 heure**
Cuisson **10 à 12 minutes**
Attente **30 minutes** au moins

Pour la pâte sablée :
150 g de **farine** + 1 poignée
  pour le plan de travail
1 pincée de **levure
  chimique**
75 g de **sucre en poudre**
75 g de **beurre** ramolli
1 **jaune d'œuf**
1 c. à s. d'**eau** froide

Pour la ganache :
200 g de **chocolat noir
  à pâtisser**
13 cl de **crème liquide**
40 g de **beurre** ramolli
  coupé en morceaux

Mélangez la farine, la levure et le sucre dans une large terrine puis ajoutez le beurre et mélangez avec les mains jusqu'à l'obtention d'une pâte sableuse. Émiettez-la du bout des doigts, creusez un puits au centre, ajoutez le jaune d'œuf et l'eau froide puis mélangez rapidement. Formez une boule en l'écrasant du bout des doigts. Formez un beau pain rectangulaire, enveloppez-le de film alimentaire et placez-le 1 heure au réfrigérateur.

Préchauffez le four à 180 °C.

Étalez finement la pâte au rouleau, piquez-la à la fourchette et découpez des disques à l'aide d'un emporte-pièce de 6 cm de diamètre. Foncez-les dans des empreintes à minitartelettes en silicone.

Enfournez sur la grille pour 10 à 12 minutes puis démoulez à la sortie du four et laissez refroidir les fonds de tartelette sur une grille.

Hachez le chocolat au mixeur puis versez dans un saladier. Portez la crème liquide à frémissement, versez-la sur le chocolat haché et mélangez à la spatule. Quand le chocolat a complètement fondu, incorporez le beurre.

Garnissez les fonds de tartelette à la poche à douille et laissez refroidir 30 minutes au moins au frais, mais pas au réfrigérateur.

Note Vous pouvez conserver la pâte sablée jusqu'à 2 jours au réfrigérateur.

truffes maison

Pour **40 à 50 truffes**
Préparation **30 minutes**
Réfrigération **4 heures**

125 g de **chocolat noir
à pâtisser à 52 %
de cacao**
100 g de **chocolat noir
corsé à pâtisser à 64 %
de cacao**
12,5 cl de **crème liquide**
20 g de **beurre** coupé
en petits morceaux

Pour l'enrobage :
80 g de **pistaches vertes**
non salées
80 g d'**amandes** entières
émondées
175 g de **chocolat noir
à pâtisser** (soit le reste
des 2 tablettes)
2 c. à s. de **cacao
en poudre** amer

Hachez les deux chocolats au mixeur, mettez-les dans un récipient.

Portez la crème liquide à ébullition, retirez-la du feu, attendez 2 minutes puis versez-la en filet sur le chocolat, en remuant. Incorporez le beurre en posant le récipient sur un bain-marie frémissant. Remuez jusqu'à l'obtention d'un mélange homogène. Laissez refroidir 1 heure au réfrigérateur.

Sortez la ganache du réfrigérateur, laissez-la revenir à température ambiante puis, à la poche à douille ou à l'aide de 2 petites cuillères, répartissez-la en petites boules sur un plateau recouvert de papier sulfurisé ou d'une feuille de silicone. Placez pour 3 heures au réfrigérateur.

Torréfiez les pistaches et les amandes au four pendant 10 minutes à 165 °C. Concassez-les séparément.

Faites fondre le chocolat d'enrobage au bain-marie puis retirez-le et, à l'aide d'une fourchette, plongez rapidement les truffes juste sorties du réfrigérateur, une à une, dans le chocolat fondu. Roulez-les tout de suite dans les pistaches ou les amandes concassées. Posez-les sur une feuille de papier sulfurisé et laissez sécher.

Trempez le dernier tiers des truffes dans le chocolat et laissez-les sécher avant de les rouler dans une assiette creuse remplie de cacao en poudre. Éliminez l'excédent de cacao et posez-les dans des caissettes en papier.

truffes aux flocons d'avoine

Pour **25 truffes**
Préparation **20 minutes**
Réfrigération **4 heures**

200 g de **chocolat**
  à pâtisser haché
8 cl de **crème d'avoine**
200 g de petits **flocons**
  d'avoine grillés
50 g de **pistaches**
  non salées
100 g de **pruneaux**
  dénoyautés
50 g de **pâte de datte**

Faites fondre le chocolat avec la crème d'avoine au bain-marie.

Mixez 150 g de flocons d'avoine et les pistaches avec les pruneaux et la pâte de datte puis mélangez la pâte obtenue au chocolat fondu. Formez des boulettes puis roulez-les dans le reste des flocons d'avoine.

Placez les truffes 4 heures au réfrigérateur avant de les déguster et réservez-les dans une boîte hermétique.

Pour des truffes aux amandes, remplacez les pistaches par des amandes pour la confection de la pâte puis enrobez les truffes de pistaches concassées.

fondants coulants au chocolat et cerises au marasquin

Pour **12 fondants**
Préparation **20 minutes**
Réfrigération **1 heure**
Cuisson **7 à 9 minutes**

160 g de **chocolat noir
supérieur à pâtisser
à 64 % de cacao**
160 g de **chocolat praliné
à pâtisser**
140 g de **beurre doux**
4 **œufs** extra frais
100 g de **sucre glace**
60 g de **farine**
12 **cerises au marasquin**

Faites fondre les deux chocolats et le beurre
au bain-marie.

Mélangez les œufs et le sucre glace au batteur puis
incorporez la farine et le mélange aux chocolats fondus.

Versez dans des moules ou des empreintes à muffins
et réservez au réfrigérateur 1 heure au moins.

Préchauffez le four à 200 °C.

Posez les moules juste sortis du réfrigérateur sur
une grille et disposez 1 cerise au marasquin à la surface
de chaque gâteau. Glissez la grille dans la partie basse
du four et faites cuire 7 à 9 minutes.

À la sortie du four, attendez 5 minutes pour démouler
très délicatement et servez les fondants au cœur coulant
avec de la crème anglaise ou une boule de glace
à la vanille.

cupcakes au chocolat

Pour **15 cupcakes**
Préparation **25 minutes**
Cuisson **20 minutes**

135 g de **chocolat noir
à pâtisser** haché
190 g de **farine**
1 sachet de **levure
chimique**
170 g de **beurre demi-sel**
ramolli
170 g de **sucre en poudre**
3 **œufs**
15 cl de **lait** + 2 c. à s.
75 g de **pâtes de fruits**
ou de **pâte d'amande**

Pour la crème
au chocolat :
150 g de **chocolat noir
à pâtisser** (ou au lait)
113 g de **beurre doux**
ramolli
150 g de **sucre glace**

Pour décorer :
15 **petits cœurs** découpés
dans de la **pâte de fruits**
ou de la **pâte d'amande**

Préchauffez le four à 180 °C.

Faites fondre le chocolat au bain-marie avec 2 cuillerées
à soupe de lait en remuant jusqu'à ce qu'il soit bien
lisse puis retirez du feu.

Mélangez et tamisez la farine et la levure dans
un saladier. Mélangez le beurre et le sucre au fouet
jusqu'à l'obtention d'une pommade souple. Incorporez
les œufs, un par un, puis le chocolat fondu. Incorporez
la farine et la levure en alternance avec le lait.

Répartissez la pâte dans les moules à muffins en
silicone ou doublés de caissettes en papier et glissez-
les, posés sur la grille, au bas du four pour 20 minutes.

Préparez la crème au chocolat : faites fondre
le chocolat au bain-marie puis laissez tiédir. Fouettez
le beurre avec le sucre glace jusqu'à ce que le mélange
blanchisse puis ajoutez le chocolat fondu et mélangez
bien. Placez au frais jusqu'à ce que le mélange prenne
la consistance d'une crème au beurre.

Garnissez les cupcakes refroidis à l'aide d'une poche
à douille lisse ou en forme d'étoile. Décorez avec un
petit cœur découpé à l'emporte-pièce dans de la pâte
de fruits ou de la pâte d'amande.

tuiles au chocolat et noisettes

Pour **20 tuiles**
Préparation **35 minutes**

25 cl d'**eau**
10 g de **bicarbonate de soude**
20 g de **noisettes**
200 g de **chocolat à pâtisser** (noir, au lait ou blanc)
1 **feuille guitare**

Portez à ébullition l'eau avec le bicarbonate de soude et faites tremper les noisettes 3 minutes. Égouttez-les et rincez-les à l'eau glacée. Frottez-les vigoureusement dans un torchon pour les peler. Concassez-les finement, étalez-les sur la plaque du four et torréfiez-les 15 minutes à 150 °C en remuant régulièrement. Laissez refroidir.

Faites fondre le chocolat au bain-marie puis mélangez-le avec les éclats de noisettes.

Découpez la feuille guitare en carrés de 6 à 8 cm de côté. Versez 1 cuillerée de mélange au chocolat fondu sur chaque carré et étalez-le en un disque très fin. Quand le chocolat commence à figer, posez chaque feuille sur une gouttière à tuiles, sur des bouteilles en verre ou sur un rouleau à pâtisserie. Laissez durcir complètement puis décollez délicatement la feuille guitare

Variantes Remplacez les noisettes par des amandes, des noix ou des pistaches, ou encore par un mélange de ces fruits secs. Vous pouvez aussi ajouter des éclats de fèves de cacao ou de grains de café.

muffins au chocolat blanc

Pour **12 à 15 muffins**
Préparation **20 minutes**
Cuisson **25 minutes**

200 g de **chocolat blanc**
  à pâtisser
300 g de **farine**
1 sachet de **levure**
  chimique
100 g de **sucre en poudre**
1 sachet de **sucre vanillé**
1 pincée de **sel fin**
2 **œufs**
25 cl de **lait entier**
75 g de **beurre** fondu

Préchauffez le four à 180 °C, en sortant la grille.

Râpez 50 g de chocolat blanc et réservez au réfrigérateur. Hachez grossièrement le reste au couteau en petits morceaux.

Mélangez la farine, la levure, les deux sucres, le sel et les 150 g de chocolat blanc en morceaux dans un saladier. Battez les œufs dans un autre saladier avec le lait et le beurre fondu. Versez sur le mélange sec et mélangez sans trop travailler la pâte, juste assez pour incorporer la farine.

Répartissez la pâte dans des moules à muffin en silicone posés sur la grille et glissez-la au bas du four pour 25 minutes. À la sortie du four, saupoudrez les gâteaux encore chauds de chocolat blanc râpé bien froid puis laissez refroidir.

Démoulez juste au moment de les déguster à l'heure du thé.

Pour des muffins à la noix de coco et au chocolat blanc, suivez la même recette en mélangeant 180 g de farine avec 120 g de noix de coco râpée et parsemez les gâteaux de noix de coco râpée avant de les glisser au four.

bouchées coco, gingembre, chocolat blanc

Pour **30 bouchées**
Préparation **10 minutes**
Cuisson **15 minutes**

15 g de **gingembre** frais
1 **gousse de vanille** fendue
250 g de **noix de coco**
   râpée
160 g de **sucre en poudre**
2 **œufs**
100 g de **chocolat blanc**
   à pâtisser

Pelez le gingembre et râpez-le très finement dans un saladier. Ajoutez les graines de la gousse de vanille, la noix de coco, le sucre et les œufs. Mélangez à la spatule puis mettez des gants et continuez du bout des doigts jusqu'à l'obtention d'une pâte compacte.

Prélevez des noix de pâte, façonnez-les en boulettes entre les mains humides et posez-les sur une plaque de cuisson antiadhésive ou recouverte de papier sulfurisé. Glissez la plaque dans le four préchauffé à 165 °C pour 15 minutes jusqu'à ce que les bouchées soient légèrement dorées puis laissez refroidir sur une grille.

Faites fondre le chocolat blanc au bain-marie, trempez-y les boulettes puis laissez-les refroidir sur une feuille de papier sulfurisé dans une pièce fraîche, mais pas au réfrigérateur.

petits
gâteaux
aux fruits

petites meringues aux fruits

Pour **30 meringues**
Préparation **15 minutes**
Cuisson **1 h 30**

3 **blancs d'œufs**
180 g de **sucre en poudre**
1 c. à c. d'**extrait naturel
de vanille**
20 cl de **crème fleurette
entière** très froide
6 **fraises**
12 grappes de **groseilles**
6 **framboises**
½ **mangue**
ou 1 rondelle d'**ananas**
sucre glace

Montez les blancs d'œufs en neige au batteur électrique en incorporant le sucre petit à petit puis l'extrait de vanille. Continuez de battre jusqu'à la formation d'une meringue ferme et brillante qui doit tenir solidement sur les branches du fouet.

Mettez la meringue dans une poche munie d'une douille lisse de 10 mm puis pochez de belles noix de 4 cm de diamètre environ sur une plaque à pâtisserie chemisée de papier sulfurisé. Creusez légèrement le sommet de chaque meringue avec le dos d'une petite cuillère trempée dans de l'eau froide, puis glissez la plaque dans le four préchauffé à 100 °C pour 1 h 30. Laissez les meringues dans le four jusqu'à refroidissement.

Versez la crème fleurette dans un saladier et placez-la 15 minutes au congélateur avec les fouets puis montez-la en chantilly et gardez-la au réfrigérateur.

Juste avant de servir, déposez une petite noisette de crème montée au sommet de chaque meringue et ajoutez ½ fraise, quelques grains de groseille, 1 framboise ou 1 petit cube de mangue ou d'ananas au sommet du petit édifice. Saupoudrez de sucre glace et servez.

Note Si vous utilisez un four traditionnel, augmentez la température à 150 °C et gardez la porte du four entrouverte pendant la cuisson.

financiers aux groseilles

Pour **20 financiers**
Préparation **15 minutes**
Repos **1 heure**
Cuisson **10 à 12 minutes**

1 **gousse de vanille** fendue
170 g de **beurre**
1 c. à c. d'**extrait naturel de vanille**
120 g de **poudre d'amande**
145 g de **sucre en poudre**
45 g de **farine**
4 **blancs d'œufs**
1 pincée de **sel fin**
100 g de **groseilles** fraîches ou surgelées

Mettez les graines de vanille dans une petite casserole avec le beurre et l'extrait de vanille puis faites fondre à feu doux.

Mélangez la poudre d'amande, le sucre et la farine. Montez les blancs d'œufs en neige ferme avec 1 pincée de sel puis incorporez-les délicatement à la préparation sèche. Ajoutez ensuite le beurre fondu, en remuant avec une spatule souple. Couvrez le saladier de film alimentaire et laissez reposer la pâte 1 heure au réfrigérateur. Elle va devenir ferme.

Préchauffez le four à 220 °C, en sortant la grille. Posez les moules ou les empreintes en silicone sur la grille.

Disposez 1 petite cuillerée de pâte bien froide dans chaque moule sans trop l'écraser ni la tasser puis posez dessus quelques grains de groseille en les enfonçant très légèrement. Glissez la grille au bas du four pour 10 minutes. Les financiers sont cuits lorsqu'ils commencent à prendre une jolie couleur légèrement dorée sur les bords.

Démoulez délicatement sur une grille 5 minutes après la sortie du four.

Variantes Remplacez la vanille et l'extrait de vanille par 1 sachet de sucre vanillé mélangé au sucre en poudre. Remplacez les groseilles par 1 ou 2 framboises surgelées.

petits-fours à l'orange

Pour **24 petits-fours**
Préparation **35 minutes**
Réfrigération **1 heure**

1 **cake nature**, **vanille**
   ou **citron**
120 g de **marmelade**
   d'orange
250 g de **chocolat blanc**
feuilles guitare
3 **oranges** non traitées
300 g de **sucre**

Coupez le cake en 12 tranches épaisses. Garnissez une tranche sur deux de marmelade d'orange puis recouvrez-les avec les autres tranches en sandwich. Enveloppez chaque sandwich de film alimentaire et réservez 1 heure au réfrigérateur.

Faites fondre 200 g de chocolat au bain-marie puis versez-le en fines couches régulières sur des feuilles guitare. Égalisez la surface avec une spatule en métal. Lorsque le chocolat commence à figer, marquez-le de 48 petits cercles à l'emporte-pièce puis laissez durcir complètement avant de prélever les disques de chocolat.

Préparez les zestes d'orange confits : lavez les oranges et prélevez-en les zestes à l'économe puis émincez-les en très fine julienne. Blanchissez-les en les plongeant 2 fois 1 minute dans une casserole d'eau bouillante et en les rinçant à l'eau glacée à chaque fois.

Mélangez le jus d'orange avec de l'eau pour obtenir 60 cl de liquide. Versez-le dans une petite casserole avec le sucre, ajoutez les zestes et laissez confire 10 à 12 minutes à feu doux.

Faites fondre le reste de chocolat blanc au bain-marie. Avec un emporte-pièce, découpez des disques dans les sandwichs, badigeonnez-les recto verso de chocolat blanc fondu au pinceau et collez immédiatement 1 pastille de chocolat de chaque côté. Posez les bouchées sur le plat de service et coiffez-les de zestes de citron confits.

mille-feuilles craquants au chocolat blanc et aux framboises

Pour **6 personnes**
Préparation **20 minutes**
Réfrigération **2 heures**
  au moins

200 g de **chocolat blanc
  à pâtisser**
100 g de **pralin**
10 cl de **crème liquide
  entière** très froide
100 g de **mascarpone**
30 g de **sucre glace**
400 g de **framboises**

Faites fondre le chocolat au bain-marie puis coulez-le dans un grand moule à tarte carré ou rectangulaire en silicone ou chemisé de papier sulfurisé sur quelques millimètres d'épaisseur. Parsemez la moitié du pralin puis lissez la surface avec une spatule avant d'ajouter le reste du pralin. Mettez de côté jusqu'à ce que le chocolat soit complètement refroidi.

Versez la crème liquide très froide, le mascarpone et le sucre glace dans un saladier et fouettez au batteur électrique jusqu'à l'obtention d'une chantilly ferme. Réservez 2 heures au réfrigérateur.

Cassez la tuile de chocolat blanc en petits carrés et montez les mille-feuilles en empilant les petits carrés de tuile de chocolat, la chantilly de mascarpone et les framboises. Servez sans attendre.

tartelettes aux fruits rouges

Pour **6 personnes**
Préparation **30 minutes**
Réfrigération **1 heure**
  au moins
Cuisson **22 minutes**

25 cl de **lait entier**
1 **gousse de vanille** fendue
2 **jaunes d'œufs**
80 g de **sucre en poudre**
24 g de **Maïzena**
2 rouleaux de **pâte
  feuilletée**, **brisée**
  ou **sablée**
10 cl de **crème fleurette
  entière** très froide
300 g de **framboises**
  et de **myrtilles**
sucre glace

Dans une casserole, portez à frémissement le lait avec la gousse de vanille et les graines grattées. Retirez du feu, couvrez et laissez infuser 30 minutes.

Fouettez les jaunes d'œufs avec le sucre puis incorporez la Maïzena. Jetez la gousse de vanille, portez le lait de nouveau à frémissement puis versez-le en filet sur le mélange aux œufs, en fouettant. Reversez le tout dans la casserole et laissez épaissir à feu doux, sans cesser de remuer, jusqu'à la limite de l'ébullition. Retirez du feu et laissez refroidir, en remuant de temps en temps, avant de placer la crème au réfrigérateur.

Préchauffez le four à 200 °C.

Étalez les pâtes, piquez-les à la fourchette et découpez des disques de diamètre légèrement supérieur à celui de petits moules tulipes, à brioche ou à muffin. Foncez la pâte dans les moules et posez, sans appuyer, un second moule par-dessus.

Faites cuire les fonds de tartes à blanc : déposez les moules sur la grille, au bas du four pour 12 minutes. Retirez les moules supérieurs et prolongez la cuisson de 10 minutes à 165 °C jusqu'à ce que la pâte soit bien dorée. Laissez refroidir sur une grille.

Montez la crème fleurette en chantilly ferme puis incorporez-la à la crème pâtissière. Garnissez les fonds de tarte de crème, ajoutez les framboises et les myrtilles et saupoudrez de sucre glace au moment de servir.

minitourtes aux cerises

Pour **6 personnes**
Préparation **30 minutes**
Réfrigération **30 minutes**
Cuisson **30 minutes**

600 g de **cerises noires**
  dénoyautées
20 g de **beurre**
  + 15 g pour les moules
200 g de **sucre semoule**
18 cl de **crème de cerise**
  (liqueur de cerise)
2 c. à c. de **fécule**
  de pommes de terre
600 g de **pâte feuilletée**
1 **œuf** battu

Faites cuire les cerises 5 minutes à la poêle avec
le beurre, le sucre et la liqueur. Ajoutez la fécule diluée
dans un peu d'eau froide et faites épaissir à feu très
doux, sans cesser de remuer. Lorsque le jus est devenu
crémeux, retirez du feu et laissez refroidir.

Étalez très finement la pâte. Découpez 12 disques
légèrement plus grands que les moules à tartelette
et 6 petits cœurs dans les chutes. Disposez 6 disques
de pâte et les petits cœurs sur un plateau recouvert
d'une feuille de papier sulfurisé, couvrez de film alimentaire
et placez au réfrigérateur pour 30 minutes.

Foncez les moules à tartelette beurrés avec les 6 plus
grands disques de pâte, piquez le fond à la fourchette
et garnissez de cerises enrobées de leur jus.

Couvrez avec les disques de pâte restants juste sortis
du réfrigérateur puis scellez les bords en les ourlant
du bout des doigts puis en les guillochant. Découpez
un petit trou au centre de chaque couvercle puis dorez
la surface des tourtes à l'œuf battu. Dorez aussi
les petits cœurs.

Enfournez les tourtes et les petits cœurs pour
25 à 30 minutes au four préchauffé à 200 °C. Retirez
les petits cœurs avant, dès qu'ils sont dorés.

Servez les tourtes tièdes avec leurs petits cœurs,
éventuellement saupoudrées de sucre glace
et accompagnées de crème fraîche épaisse.

tartelettes aux abricots confits

Pour **30 minitartelettes**
Préparation **15 minutes**
Cuisson **15 minutes**

1 rouleau de **pâte feuilletée**
ou **brisée**
1 pot de **marmelade
d'abricot**
30 petits **abricots confits**

Posez une plaque d'empreintes à minitartelettes
en silicone sur une grille.

Déroulez la pâte, piquez-la à la fourchette et découpez
des disques de 7 cm de diamètre à l'aide d'un emporte-
pièce. Posez-les dans les empreintes à minitartelettes.

Garnissez chaque fond de tarte de 1 petite cuillerée
à café de marmelade d'abricot et posez un petit abricot
confit par-dessus.

Faites fondre le reste de la marmelade à feu doux,
passez-la au tamis puis recouvrez chaque abricot
confit d'une coulée de marmelade liquide.

Glissez la grille dans le four préchauffé à 180 °C
et faites cuire 15 minutes jusqu'à ce que la pâte
soit bien dorée. À la sortie du four, attendez quelques
minutes avant de démouler les tartelettes sur une grille.

Variantes À faire aussi avec des mirabelles ou
des abricots au sirop égouttés depuis la veille. Ajoutez
quelques brisures de pistache, d'amande ou de noisette.

cakes et muffins aux fruits rouges

Pour **6 minicakes
et 6 muffins**
Préparation **20 minutes**
Cuisson **20 minutes**

1 **gousse de vanille** fendue
4,5 cl de **lait entier**
10 cl de **crème liquide**
150 g de **groseilles**
en grappe
150 g de **beurre**
170 g de **farine**
1 sachet de **levure
chimique**
1 pincée de **sel**
3 **œufs**
150 g de **sucre**
ou de **cassonade**

Mettez les graines et la gousse de vanille dans une casserole, versez le lait et la crème liquide, portez à frémissement puis retirez du feu, couvrez et laissez infuser pendant
que vous préparez la pâte.

Préchauffez le four à 180 °C. Lavez les groseilles, séchez-les et égrappez-les.

Faites fondre le beurre en pommade liquide dans une autre casserole. Mélangez la farine, la levure et le sel. Dans un saladier, mélangez les œufs et le sucre au fouet puis ajoutez le mélange lait-crème à la vanille (jetez la gousse). Incorporez ensuite le mélange sec et le beurre fondu sans trop travailler la pâte. Ajoutez les groseilles en dernier, en remuant délicatement, sans les écraser.

Répartissez le mélange dans des caissettes à muffin et à minicake ou dans des empreintes en silicone. Ajoutez le reste des fruits à la surface des gâteaux et enfournez pour 20 minutes.

Variantes Remplacez les groseilles par des grains de cassis, des brisures de framboises surgelées (sans décongélation préalable) ou des cerises dénoyautées et coupées en petits dés.

cupcakes au citron

Pour **15 cupcakes**
Préparation **20 minutes**
Cuisson **20 minutes**

1 **citron** non traité
150 g de **beurre** ramolli
150 g de **sucre en poudre**
3 **œufs**
150 g de **farine**
1 sachet de **levure chimique**
1 pincée de **sel**

Pour le glaçage :
250 g de **sucre glace**
12 cl de **jus de citron**
75 g de **lemon curd**
1 c. à c. de **graines de pavot**

Brossez le citron sous l'eau chaude. Essuyez-le et râpez-en le zeste à la grille fine.

Préchauffez le four à 180 °C.

Mélangez le beurre et le sucre au fouet jusqu'à l'obtention d'une pommade souple. Incorporez les œufs, un par un, puis la farine mélangée à la levure et au sel. Ajoutez 2 cuillerées à soupe de jus de citron et les zestes.

Répartissez la pâte dans les moules à muffin en silicone et glissez-les, posés sur la grille, au bas du four pour 20 minutes.

Préparez le glaçage : mélangez le sucre glace et le jus de citron en ajoutant celui-ci progressivement jusqu'à l'obtention d'une pâte onctueuse.

Laissez refroidir les cupcakes puis démoulez-les sur une grille. Garnissez-les de 1 cuillerée à café de lemon curd puis ajoutez le glaçage par-dessus à l'aide d'une poche à douille fine. Parsemez de graines de pavot et laissez sécher.

Pour un glaçage classique, juste avant de décorer les gâteaux, mélangez au fouet 1 blanc d'œuf avec 1 cuillerée à café de jus de citron et 200 g de sucre glace.

Note Vous pouvez utiliser des caissettes en papier doublées pour plus de solidité. Il n'est alors pas nécessaire de les démouler.

muffins à l'orange et aux pépites de chocolat

Pour **15 muffins**
Préparation **20 minutes**
Cuisson **20 minutes**

2 **oranges** non traitées
100 g d'**écorces d'orange confites**
75 g de **beurre**
2 **œufs**
90 g de **sucre**
250 g de **farine**
1 sachet de **levure chimique**
100 g de **pépites de chocolat**

Préchauffez le four à 180 °C.

Brossez 1 orange sous l'eau chaude, essuyez-la puis râpez-en le zeste à la grille fine. Pressez les 2 oranges. Coupez les écorces d'orange confites en petits cubes. Faites fondre le beurre en pommade liquide.

Fouettez les œufs avec le sucre jusqu'à ce que le mélange mousse puis ajoutez le beurre, le jus des 2 oranges et le zeste, en fouettant vigoureusement. Incorporez ensuite la farine mélangée à la levure, la moitié des écorces d'orange confites et des pépites de chocolat, sans trop travailler la pâte.

Versez la pâte dans des empreintes ou des moules à muffin en silicone posés sur la grille, parsemez du reste des écorces d'orange confites et des pépites de chocolat, et glissez la grille au bas du four pour 20 minutes.

Laissez refroidir puis démoulez sur une grille.

minimadeleines aux framboises

Pour **40 minimadeleines**
Préparation **15 minutes**
Repos **2 heures à 1 nuit**
Cuisson **7 à 8 minutes**

1 **citron** non traité
150 g de **beurre**
2 **œufs**
100 g de **sucre en poudre**
1 pincée de **sel**
2 c. à s. de **sirop
de framboise**
1 c. à c. de **colorant rouge**
liquide (facultatif)
4 c. à s. de **lait**
150 g de **farine**
1 c. à c. rase de **levure
chimique**

Brossez le citron sous l'eau chaude, essuyez-le
et râpez-en la moitié du zeste à la grille fine.

Faites fondre le beurre jusqu'à ce qu'il commence
à virer légèrement à la couleur noisette.

Fouettez les œufs, le sucre, le sel, le sirop de framboise,
le colorant et le lait jusqu'à ce que le mélange devienne
mousseux puis ajoutez la farine mélangée à la levure
et le zeste râpé. Incorporez le beurre fondu en dernier.
Laissez reposer la pâte 2 heures au minimum
au réfrigérateur.

Préchauffez le four à 220 °C.

Sortez la pâte du réfrigérateur au dernier moment
et déposez 1 cuillerée à café de pâte au creux des
empreintes de 5,5 cm de long. Glissez la plaque au
four pour 4 minutes jusqu'à ce que la bosse se forme,
puis baissez la température à 180 °C et poursuivez
la cuisson 3 à 4 minutes.

Démoulez à la sortie du four, laissez tiédir sur une grille
et dégustez tout de suite : c'est à ce moment-là
qu'elles sont les meilleures. Conservez celles que
vous n'aurez pas mangées dans une boîte hermétique.

Variantes Remplacez le zeste de citron par le zeste
de 1 orange ou de la vanille. Remplacez le sirop
de framboise par du sirop de fraise, du miel ou
1 cuillerée à soupe d'eau de fleur d'oranger.

douceurs
inattendues

minitartelettes aux noix caramélisées

Pour **30 minitartelettes**
Préparation **20 minutes**
Réfrigération **1 heure**
Cuisson **10 à 12 minutes**

Pour la pâte sablée :
150 g de **farine** + 1 poignée
   pour le plan de travail
1 pincée de **levure**
   chimique
75 g de **sucre en poudre**
75 g de **beurre** ramolli
1 **jaune d'œuf**
1 c. à s. d'**eau** froide

Pour la garniture :
100 g de **cerneaux de noix**
5 cl de **crème liquide**
160 g de **sucre en poudre**
60 g de **miel** liquide
40 g de **beurre**

Mélangez la farine, la levure et le sucre dans une large terrine puis ajoutez le beurre et mélangez avec les mains jusqu'à l'obtention d'une pâte sableuse. Émiettez-la du bout des doigts, creusez un puits au centre, ajoutez le jaune d'œuf et l'eau froide puis mélangez. Formez une boule en l'écrasant du bout des doigts. Formez un beau pain rectangulaire, enveloppez-le de film alimentaire et placez-le 1 heure au réfrigérateur.

Préchauffez le four à 180 °C.

Étalez la pâte au rouleau sur 2 mm d'épaisseur, piquez-la à la fourchette et découpez des disques à l'aide d'un emporte-pièce de 6 cm de diamètre. Foncez-les dans des empreintes à minitartelettes en silicone. Enfournez sur la grille du four pour 10 à 12 minutes puis démoulez les tartelettes à la sortie du four et laissez-les refroidir sur une grille.

Hachez grossièrement la moitié des cerneaux de noix. Mettez les noix hachées et les cerneaux entiers sur la plaque du four et faites-les sécher 10 minutes à 150 °C.

Faites bouillir la crème liquide puis retirez du feu. Faites cuire le sucre jusqu'à l'obtention d'une couleur dorée puis versez immédiatement la crème liquide tiède pour arrêter la cuisson et mélangez jusqu'à l'obtention d'un caramel homogène. Hors du feu, incorporez le miel et le beurre puis ajoutez les noix.

Garnissez les tartelettes et réservez à température ambiante.

petits financiers aux noisettes et café

Pour **20 financiers**
Préparation **15 minutes**
Repos **1 heure**
Cuisson **10 à 12 minutes**

170 g de **beurre**
1 c. à c. d'**extrait de café**
120 g de **poudre**
  de noisette
140 g de **sucre en poudre**
1 sachet de **sucre vanillé**
45 g de **farine**
4 **blancs d'œufs**
1 pincée de **sel fin**
1 c. à s. de **grains de café**
  grossièrement concassés

Faites fondre le beurre dans une petite casserole à feu doux avec l'extrait de café. Mélangez la poudre de noisette, le sucre, le sucre vanillé et la farine.

Montez les blancs d'œufs en neige ferme avec 1 pincée de sel puis incorporez-les aux ingrédients secs. Ajoutez ensuite le beurre fondu aromatisé au café, en remuant avec une spatule souple. Couvrez le saladier de film alimentaire et laissez reposer la pâte 1 heure au réfrigérateur. Elle va devenir ferme.

Préchauffez le four à 220 °C, en sortant la grille. Disposez des caissettes en papier dans de petits moules ou de petites empreintes en silicone et posez-les sur la grille.

Mettez ½ cuillerée à soupe de pâte bien froide dans chaque moule sans l'écraser ni la tasser et parsemez de grains de café. Glissez la grille au bas du four pour 10 minutes. Les financiers sont cuits lorsqu'ils commencent à prendre une jolie couleur dorée sur les bords.

Servez-les presque tièdes. Tout frais, ils sont encore meilleurs.

Note Vous pouvez préparer la pâte la veille et la laisser au réfrigérateur jusqu'au lendemain.

cupcakes à la violette

Pour **15 cupcakes**
Préparation **20 minutes**
Cuisson **20 minutes**

4,5 cl de **lait entier**
10 cl de **crème liquide**
2 c. à s. de **thé à la violette**
150 g de **beurre**
170 g de **farine**
1 sachet de **levure chimique**
1 pincée de **sel**
3 **œufs**
150 g de **sucre**
  ou de **cassonade**

Pour le glaçage :
150 g de **mascarpone**
  ou de **cream cheese**
3 c. à c. de **sirop de violette**
60 g de **sucre glace**
12 **violettes cristallisées**

Préparez le glaçage : battez le mascarpone au fouet électrique pendant 2 minutes puis incorporez le sirop de violette et le sucre glace. Placez au réfrigérateur.

Préchauffez le four à 180 °C. Doublez 15 moules à muffin de caissettes en papier.

Dans une casserole, portez à frémissement le lait et la crème avec 1 cuillerée à soupe de thé, puis retirez du feu. Couvrez et laissez infuser.

Faites fondre le beurre en pommade liquide dans une autre casserole. Réduisez au pilon le reste du thé en poudre fine puis mélangez-la à la farine, à la levure et au sel. Dans un saladier, mélangez les œufs et le sucre au fouet puis ajoutez le mélange lait-crème-thé, filtré. Incorporez ensuite le mélange sec et le beurre.

Répartissez dans les caissettes et enfournez pour 20 minutes. Garnissez les cupcakes refroidis de glaçage et décorez chacun avec 1 violette cristallisée.

Pour un glaçage classique, mélangez au fouet à main 1 blanc d'œuf avec 1 cuillerée à café de jus de citron et 200 g de sucre glace. Garnissez les cupcakes, puis saupoudrez de brisures de violettes cristallisées et laissez sécher.

Pour un glaçage au chocolat blanc, faites fondre 200 g de chocolat blanc au bain-marie avec 1 cuillerée à soupe de crème liquide et 2 cuillerées à café de sirop de violette puis laissez refroidir.

cupcakes carotte-noisette

Pour **15 cupcakes**
Préparation **20 minutes**
Cuisson **20 minutes**

50 g de **raisins secs**
1 sachet de **thé noir**
150 g de **carottes**
250 g de **farine**
   + un peu pour les raisins
120 g de **noisettes**
   en poudre
1 sachet de **levure**
   chimique
1 c. à c. de **cannelle**
   moulue
120 g de **cassonade**
2 **œufs**
125 g de **beurre** fondu
   + 10 g pour les moules
20 cl de **lait entier**

Pour le glaçage :
150 g de **mascarpone**
   ou de **cream cheese**
½ c. à s. de **jus de citron**
60 g de **sucre glace**
2 c. à s. de **noix de coco**
   râpée

Mettez les raisins à tremper dans un bol de thé chaud 1 heure à l'avance. Pelez les carottes et râpez-les finement. Doublez 15 moules à muffins de caissettes en papier. Beurrez l'intérieur au pinceau.

Préchauffez le four à 200 °C.

Mélangez la farine, les noisettes en poudre, la levure, la cannelle et la cassonade dans un saladier. Battez les œufs dans un grand bol en ajoutant le beurre fondu et le lait. Puis incorporez cette préparation au mélange sec, sans trop travailler la pâte. Ajoutez ensuite les carottes et les raisins égouttés, saupoudrés de farine.

Répartissez la pâte dans les caissettes et enfournez pour 20 minutes.

Préparez le glaçage : battez le mascarpone au fouet électrique pendant 2 minutes puis incorporez le jus de citron et le sucre glace.

Quand les gâteaux ont refroidi, garnissez-les de glaçage à la poche à douille et saupoudrez légèrement de noix de coco râpée.

Note Vous pouvez aussi utiliser des moules à muffins en silicone, sans les caissettes en papier. Si vous n'avez pas de moules à muffins, doublez les caissettes en papier pour les solidifier avant cuisson.

minicakes au gingembre

Pour **20 minicakes**
Préparation **20 minutes**
Cuisson **20 minutes**

1 **orange** non traitée
40 g de **gingembre confit**
140 g de **farine**
1 sachet de **levure**
50 g de **poudre d'amande**
1 c. à c. bombée
   d'un mélange d'**épices**
   à pain d'épices en poudre
170 g de **beurre** ramolli
150 g de **sucre en poudre**
3 **œufs**

Brossez l'orange sous l'eau chaude puis essuyez-la et râpez-en finement le zeste. Pressez le jus de l'orange dans un bol. Coupez le gingembre confit en tout petits dés et mettez-les à tremper dans le jus d'orange.

Préchauffez le four à 180 °C, en sortant la grille du four.

Mélangez la farine, la levure, la poudre d'amande et les épices dans un saladier. Dans un autre saladier, travaillez le beurre en pommade au fouet avec le sucre jusqu'à ce que le mélange devienne crémeux. Incorporez les œufs un à un, en battant vigoureusement après chaque ajout. Ajoutez ensuite le mélange farine-poudre d'amande, le jus d'orange, le zeste et les dés de gingembre, sans trop travailler la pâte.

Posez une plaque d'empreintes à minicakes ou à muffins sur la grille du four, remplissez-les de pâte et glissez-la au bas du four pour 20 minutes.

Laissez refroidir puis démoulez les minicakes. Dégustez au goûter.

cigarettes russes fourrées aux dattes

Pour **6 personnes**
Préparation **30 minutes**
Cuisson **25 minutes**

Pour la pâte de datte :
175 g de **dattes**
15 g de **beurre** ramolli
2 c. à s. d'**amandes**
  mondées
1 c. à s. de **pistaches**
  non salées
1 c. à s. de **pignons de pin**
½ c. à c. de **cardamome**
  moulue
1 pincée de **cannelle**
  moulue
1 **clou de girofle** pilé
½ c. à s. de **miel**
½ c. à c. d'**eau de fleur**
  d'oranger

Pour les cigarettes :
1 paquet de feuilles
  de **pâte filo**
40 g de **beurre** fondu

Dénoyautez les dattes et faites-les cuire 15 minutes à la vapeur, puis mixez-les au robot avec le reste des ingrédients jusqu'à l'obtention d'une pâte épaisse et homogène.

Coupez les feuilles de pâte filo en bandes, étalez-les deux par deux sur le plan de travail, badigeonnez-les succinctement, sur une seule face, de beurre fondu au pinceau. Disposez la pâte de datte en fin boudin à l'une des extrémités de chaque bande puis roulez-les autour de la garniture en forme de cigarette.

Posez les cigarettes sur une plaque à pâtisserie recouverte d'une feuille de papier sulfurisé et glissez au four préchauffé à 180 °C pour 10 minutes jusqu'à ce que la pâte prenne une jolie couleur dorée. Laissez refroidir.

madeleines au thé vert matcha

Pour **30 madeleines**
Préparation **15 minutes**
Repos **2 heures**
  à 24 heures
Cuisson **9 minutes**

130 g de **beurre**
  + 20 g pour les moules
1 c. à s. de **miel d'acacia**
  liquide
130 g de **farine T 55**
  + un peu pour les moules
1 c. à c. de **levure chimique**
1 pincée de **sel**
2 c. à s. rases de **poudre
  de thé vert** spécial cuisine
3 **œufs**
150 g de **sucre en poudre**

Faites fondre le beurre et le miel. Mélangez et tamisez la farine, la levure, le sel, le sucre et la poudre de thé vert.

Fouettez les œufs et le sucre jusqu'à ce que le mélange devienne mousseux. Ajoutez le beurre fondu. Puis incorporez les ingrédients secs. Laissez la pâte reposer 2 à 24 heures au frais.

Préchauffez le four à 180 °C. Beurrez et farinez les empreintes à madeleines de 7 cm de long.

Sortez la pâte du réfrigérateur au dernier moment et déposez 1 grosse cuillerée à café de pâte au creux de chaque empreinte. Glissez les plaques d'empreintes sur la grille du four pour 9 minutes.

Démoulez à la sortie du four, laissez tiédir sur une grille et dégustez tout de suite : c'est à ce moment-là qu'elles sont les meilleures. Conservez celles que vous n'aurez pas mangées dans une boîte hermétique.

Conseil Préparez la pâte la veille pour le lendemain et restez devant votre four pour la première cuisson ; les temps de cuisson divergent sensiblement selon les fours. Remplacez la moitié de la farine T 55 par de la poudre d'amande.

gâteaux caramélisés aux clémentines

Pour **6 à 8 gâteaux**
Préparation **20 minutes**
Cuisson **35 à 40 minutes**

6 **clémentines** pelées
  et séparées en quartiers
225 g de **beurre**
220 g de **sucre**
1 sachet de **sucre vanillé**
4 **œufs**
200 g de **farine à gâteau**
  (poudre levante incorporée)
25 g de **poudre d'amande**
3 c. à s. de **miel de fleur
  d'oranger** ou **d'acacia**

Pour le caramel :
100 g de **sucre**
2 c. à s. d'**eau**

Préchauffez le four à 210 °C, en sortant la grille.
Posez les moules à muffin sur la grille du four.

Préparez le caramel : faites chauffer le sucre et l'eau
à feu moyen dans une casserole à fond épais jusqu'à
l'obtention d'un caramel ambré.

Répartissez le caramel chaud au fond des moules.
Disposez dessus les quartiers de clémentine en
rosace.

Fouettez le beurre, le sucre et le sucre vanillé jusqu'à
ce que le mélange devienne crémeux puis ajoutez
les œufs, un à un, en alternance avec la moitié de
la farine. Incorporez ensuite le reste de la farine et la
poudre d'amande puis le miel. Versez la pâte sur les
fruits et glissez les moules sur la grille au bas du four
pour 35 à 40 minutes.

Laissez refroidir les gâteaux puis démoulez-les sur
les assiettes.

Note Vous pouvez aussi utiliser des clémentines
au sirop. Si vous les préférez un peu plus caramélisés,
démoulez les gâteaux refroidis sur une plaque chemisée
de papier sulfurisé et repassez-les 15 minutes au four.

pyramides à la noix de coco

Pour **30 pyramides**
Préparation **10 minutes**
Cuisson **15 minutes**

1 **gousse de vanille**
180 g de **noix de coco**
   râpée
120 g de **sucre en poudre**
2 **blancs d'œufs** légèrement
   battus

Fendez la gousse de vanille en deux et grattez-en les graines à la pointe d'un couteau. Mettez-les dans un saladier avec la noix de coco, le sucre et les blancs d'œufs. Mélangez le tout puis mettez des gants et continuez du bout des doigts jusqu'à l'obtention d'une pâte friable.

Déposez des petits tas de pâte sur une plaque à pâtisserie recouverte de papier sulfurisé et mettez-les en forme du bout des doigts régulièrement humectés.

Glissez la plaque sur la grille du four préchauffé à 165 °C et faites cuire 15 minutes environ jusqu'à ce que les pyramides prennent une jolie couleur dorée sur les arêtes. Pour une coloration plus régulière, retournez la plaque dans le four à mi-cuisson.

À la sortie du four, faites glisser la feuille de papier sulfurisé sur une grille et laissez refroidir.

Note Pour varier, trempez le sommet des petites pyramides, tièdes ou froides, dans du chocolat fondu puis laissez refroidir.

petits gâteaux au pralin

Pour **6 personnes**
Préparation **10 minutes**
Cuisson **15 minutes**

150 g de **chocolat noir
  à pâtisser**
100 g de **beurre**
3 **œufs**
100 g de **sucre**
50 g de **farine**
50 g de **pralin** en sachet

Pour le glaçage :
50 g de **chocolat noir** haché
20 g de **crème liquide**
20 g de **beurre** coupé
  en petits morceaux

Sortez la plaque à pâtisserie du four et disposez-y de petites caissettes à mignardises en papier. Préchauffez le four à 180 °C.

Faites fondre le chocolat et le beurre au bain-marie puis laissez tiédir. Fouettez les œufs et le sucre jusqu'à ce que le mélange blanchisse. Ajoutez le chocolat et le beurre fondus puis incorporez la farine et le pralin sans trop travailler la pâte. Répartissez dans les petites caissettes en les remplissant aux 2/3. Enfournez pour 15 minutes environ.

Préparez le glaçage : faites fondre le chocolat avec la crème liquide au bain-marie, en remuant avec une spatule, jusqu'à ce que le mélange soit lisse, puis retirez du feu et incorporez le beurre par petits morceaux.

À la sortie du four, posez les petits gâteaux sur une grille, recouvrez-les de glaçage et laissez-les refroidir avant de déguster.

tartelettes à la pistache

Pour **30 minitartelettes**
Préparation **20 minutes**
Repos **1 heure**
Cuisson **10 à 12 minutes**
Attente **2 heures** au moins

Pour la pâte sablée :
150 g de **farine** + 1 poignée
  pour le plan de travail
1 pincée de **levure
  chimique**
75 g de **sucre en poudre**
75 g de **beurre** ramolli
1 **jaune d'œuf**
1 c. à s. d'**eau**

Pour la garniture :
200 g de **chocolat blanc
  à pâtisser**
20 cl de **crème liquide**
2 c. à c. de **pâte de
  pistache**
45 g de **pistaches vertes**
  non salées

Mélangez la farine, la levure et le sucre dans une large terrine puis ajoutez le beurre et mélangez la pâte avec les mains jusqu'à l'obtention d'une pâte sableuse. Émiettez-la du bout des doigts, creusez un puits au centre, ajoutez le jaune d'œuf et l'eau froide puis mélangez rapidement. Formez une boule en écrasant la pâte du bout des doigts. Formez un beau pain rectangulaire, enveloppez-le de film alimentaire et placez-le 1 heure au réfrigérateur.

Préchauffez le four à 180 °C.

Étalez finement la pâte au rouleau, piquez-la à la fourchette et découpez des disques à l'aide d'un emporte-pièce de 6 cm de diamètre. Foncez-les dans des empreintes à minitartelettes en silicone.

Enfournez sur la grille du four pour 10 à 12 minutes puis démoulez à la sortie du four et laissez refroidir les fonds de tartelette sur une grille.

Hachez le chocolat au mixeur puis versez-le dans un saladier. Portez la crème liquide à frémissement, versez-la sur le chocolat haché, ajoutez la pâte de pistache et mélangez doucement à la spatule jusqu'à l'obtention d'une belle ganache lisse et brillante.

Garnissez les fonds de tartelettes de ganache à la poche à douille, saupoudrez de pistaches grossièrement concassées et laissez reposer 2 heures au moins dans une pièce fraîche, mais pas au réfrigérateur.

meringues chocolatées aux pignons et baies roses

Pour **50 meringues**
Préparation **15 minutes**
Cuisson **1 h 15 à 1 h 30**

2 c. à s. de **baies roses**
240 g de **sucre en poudre**
3 c. à s. rases de **cacao
en poudre**
4 **blancs d'œufs**
50 g de **pignons de pin**

Écrasez la moitié des baies roses. Dans un bol, mélangez la poudre obtenue au sucre et au cacao.

Montez les blancs d'œufs en neige au batteur électrique en incorporant le mélange sucre-cacao-baies roses petit à petit, et continuez de battre jusqu'à la formation d'une meringue ferme et brillante qui doit tenir solidement sur les branches du fouet.

Mettez la meringue dans une poche munie d'une douille cannelée puis disposez-la en jolies noisettes sur une plaque chemisée de papier sulfurisé. Parsemez de pignons de pin et du reste des baies roses.

Glissez la plaque au milieu du four et faites cuire les meringues à 100 °C pendant 1 h 15 à 1 h 30, selon leur grosseur, puis laissez-les dans le four jusqu'à refroidissement. Gardez les meringues à l'abri de l'humidité.

Note Si vous utilisez un four traditionnel, augmentez la température à 150 °C et gardez la porte du four entrouverte pendant la cuisson.

petites crèmes brûlées à la réglisse

Pour **25 petits ramequins**
Préparation **10 minutes**
Cuisson **40 minutes**
Réfrigération **2 heures**
   au moins

40 cl de **crème liquide entière**
40 cl de **lait**
1 c. à c. bombée de **poudre de réglisse**
8 **jaunes d'œufs**
100 g de **sucre en poudre**
40 g de **sucre roux**

Préchauffez le four à 100 °C.

Faites bouillir la crème liquide, le lait et la poudre de réglisse. Fouettez les jaunes d'œufs et le sucre en poudre dans un saladier puis versez le mélange lait-crème bouillant, sans cesser de remuer.

Répartissez la crème obtenue dans des petits ramequins d'une contenance de 5 cl, posés sur la plaque du four, puis enfournez pour 40 minutes. Laissez les petites crèmes refroidir à la sortie du four puis placez-les 2 heures au moins au réfrigérateur.

Sortez les ramequins du réfrigérateur juste avant de servir. Saupoudrez-les de sucre roux et faites caraméliser la surface avec un chalumeau de cuisine ou sous le gril du four.

Pour la caramélisation au four, préchauffez le gril du four au maximum de sa puissance pendant 10 minutes, placez les ramequins juste sortis du réfrigérateur dans un plat peu profond rempli de glaçons, saupoudrez de sucre roux et glissez les crèmes sous le gril jusqu'à caramélisation. Servez tout de suite pour des petites crèmes froides à cœur, recouvertes de caramel croquant en surface.

annexe

table des recettes

macarons de folie !

classiques version mini

gourmandises pur chocolat

crédits photographiques

photos © agence Sucré Salé

Jean-Claude Amiel pages 23, 31, 49, 53 et 8, 69, 85, 103, 147, 167, 187, 227, 229 ;

Loïc Nicoloso pages 73, 75, 89, 125, 135, 149, 153, 197, 209, 211, 233 ;

Pierre Desgrieux pages 57, 63, 83, 87, 95, 105 et 1, 107, 109, 117 ;

Poisson d'avril pages 21, 61, 161, 173, 179, 199, 201, 231 ;

Pierre-Louis Viel pages 115, 129, 163, 175, 191 ;

Food & Drink pages 25, 169, 185, 213 ;

Mickaël Roulier / Emmanuel Turiot pages 39, 123, 131, 139 ;

Thys/Supperdelux pages 175, 189, 195, 217 ;

Nicolas Leser pages 27, 111, 13 et 225 ;

Jean Bono pages 33, 77, 81 ;

Mathieu Garçon pages 43, 91, 101 ;

Denys Clément pages 55, 79, 121 ;

Becky Lawton pages 99, 215, 219 ;

Jean-Christophe Riou pages 10, 113 ;

Bernhard Winkelmann pages 11, 37 ;

Jérôme Bilic pages 17, 137 ;

Natacha Nikouline pages 35, 221 ;

Catherine Iwanon pages 41, 151 ;

Alain Caste pages 65, 181 ;

Patricia Kettenhofen pages 141, 143 ;

Michel Bury pages 145, 205 ;

Jean-Daniel Sudres page 9 ;

Foodfolio page 12 ;

Jacques Caillaut page 19 ;

Fabrice Subiros page 29 ;

Christine Fleurent page 47 ;

Hubert Taillard page 51 ;

Éric Fénot page 59 ;

Fabrice Veigas page 67 ;

David Bonnier page 97 ;

Rina Nurra page 119 ;

Jean-Blaise Hall page 133 ;

Martina Schindler page 155 ;

Valéry Guedes page 159 ;

Jordi Garcia page 165 ;

Yves Bagros page 171 ;

Alain Sirois page 193 ;

Bruno Marielle page 203 ;

Studio page 223.

photos © shutterstock

infografick pages 6-7, 92-93 ;

auremar pages 44-45, 126-127 ;

luchezar pages 2-3 ;

ultimathule pages 4-5 ;

Ekaterina Pokrovsky pages 14-15 ;

Chubbster pages 70-71 ;

Rob Stark pages 156-157 ;

Lorraine Kourafas pages 182-183 ;

Norberto Mario Lauria pages 206-207 ;

kolesniks pages 234-235.

Découvrez toute la collection :

SIMPLE
PRATIQUE
BON

POUR CHAQUE RECETTE,
UNE VARIANTE
EST PROPOSÉE.

MARABOUT
LES PETITS COSTAUDS CÔTÉ CUISINE